OHSAMA BUNKO

本当の幸せに出会う スピリチュアル処方箋

江原啓之

三笠書房

プロローグ……本書の「幸せになる言葉」ひとつひとつにエネルギーを込めました

今、あなたは「幸せ」を感じていますか？

私がスピリチュアル・カウンセラーとして数万人の方の悩みに耳を傾け、また日々の仕事で出会う数多くの方とお話をする中で実感しているのは、幸せになるのが上手な人と、下手な人がいるということ。そして、残念ながら下手な人のほうが圧倒的に多いということです。

それは、スピリチュアルな真実に気づき、実践している人と、そうではない人の違いといってもいいと思います。

私たちがこの世に生まれてきたのはなぜか、何のために、今こうして悩みながら生きているのか、その答えを無意識にでもつかんでいる人は、幸せに近づいていきます。

けれど、その真実に気づかず、ただ欲望の赴くままに生きていると、幸せから遠く離れていくでしょう。物質的なものが満たされれば、一時的に「幸せ」を感じるかもしれません。けれど、それは一瞬のこと。すぐにまた不満が出てきます。

人が本当の意味で幸せになるためには、スピリチュアルな真実に気づくこと、現世を生きていくためのルールを知ることが絶対に必要なのです。

私は、今までの著作の中でも、その真実について、くり返し書いてきました。

人がこの世に生まれ、幸せを求めて生きていく。その旅のよきガイドブックになってほしいと、願いを込めて書いてきたつもりです。

この本では、その中でも特に重要な言葉を選んで、解説をつけました。

私たちにとって「本当の幸福」とは何なのか。それをつかむためには、どんなふうに生きていけばいいのか……本書に書かれた言葉の数々が、そのヒントになるはずです。


この世に偶然はありません。

あなたが心から求めるとき、答えは必ず得られるのです。

けれど、勘違いしないでください。この本を読めば、何か魔法のような力が働いて幸せになれると思われがちですが、そうではありません。あなたを幸せにするのは、あなた自身です。この本は、幸せになりたいと願う人の背中をほんの少し押してあげる役割でしかないのです。

本書に書かれた言葉は、いわば〝幸福になるためのエッセンス〟。凝縮してまとめてありますので、一気に読み飛ばすのではなく、ひとつひとつをかみしめて、十分に味わってください。

本を閉じたとき、あなたの心に小さな変化があるでしょう。そして、明日からのあなたの言葉が、行動が、思いが変わってくるはずです。

さあ、本当の幸せに出合うための言葉の数々にふれてください。

幸せはすぐそこであなたを待っています。

江原啓之

本当の幸せに出会う　スピリチュアル処方箋 ● 目次

Part 1 あなたは幸せになるために生まれてきました

〈〝自分を育てる〟たましいの幸福箱〉

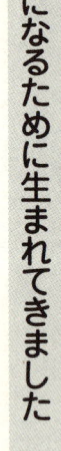

Part 2

〈幸せな恋、結婚、人間関係への約束箱〉
あなたは愛されるためにここにいるのです

Part 3
〈仕事、夢、お金の〝いい流れ〟をつくる好転箱〉
チャンスは偶然にはやってきません。呼び込むのです

Part 4
〈美と健康の365日、知恵の箱〉
心も体も、もっともっとあなたの思い通りになります

Part 5 さあ、舞台に上がりましょう。主役はあなたです 〈幸福になる習慣箱〉

Part 6
〈江原啓之の8つの法則〉
幸運の扉を開ける鍵――スピリチュアル・ルール

Part 1

〈〝自分を育てる〟たましいの幸福箱〉

あなたは幸せになるために生まれてきました

【落ちこぼれの天使】　私たちは、誰でもみんな落ちこぼれの天使です。自分のたましいの課題を克服するために、この世に生を受けたのです。

【ひとつながりのたましい】　この世に生を受けた人間は、みんな同じ。それぞれにつながるグループ・ソウルがあり、使命を抱いてこの世に生まれてきた存在です。

私たちひとりひとりにガイド・スピリット（指導霊）がいます。そのガイド・スピリットにはまたガイド・スピリットがついています。すべてのガイド・スピリットを総称して、グループ・ソウルといいます。とても大きな存在で、その経験の量と質はまさに「叡智《えいち》」と呼ぶにふさわしいものです。このグループ・ソウルとあなたはいつもつながっていると考えてください。すばらしい叡智があなたを見守っているのです。

【自分をプロデュースする】　あなたにとって最高のサポーターは、あなた自身です。あなた自身が最高のパートナーであり、マネージャーであり、コーディネーターでもあるのです。自分の人生のすべてを、自分の力でプロデュースしていきましょう。そのとき初めて、あなたの魅力が輝き始めます。

【本物のサポーター】　自分にはいいところがひとつもないと思えるときも、サポーターであることをやめてはいけません。本物のサポーターは、選手を育てるものです。いいところがないなら、つくりましょう。自分で自分を育ててあげましょう。

いいところがひとつもない人は、この世にひとりもいません。私たちはみんな神に愛されて命を与えられ、この世に生まれてきました。どんな人でも心の奥底には神が住んでいるのです。神＝真・善・美であり、神＝本来のあなたです。それを思い出しさえすればいいのです。

【見つめるべきもの】　何かに悩むとき、迷うとき、不安に思うとき、答えはすでに自分の中にあります。それを見つければいいだけなのです。

あなたのたましいが、本当に望んでいることは何か。できる努力はすべてしてきたか。今、選ぶべきはどの道か。飾らない、素直な気持ちで、自分自身の心に問いかけてみましょう。日記に書いてみるのもいい方法です。あるいは、神社や教会など、強い「気」の流れがある場所に佇《たたず》み、静寂の中で自分を見つめ直してみてください。答えは必ず見つかります。

【必要な経験】

過去のどの経験も、ひとつとしていらないものはありません。楽しい経験はもちろん、たとえあなたが「忘れてしまいたい」と思うようなことでも、すべてたましいの成長のために必要な経験なのです。

すべての経験は「恩恵」です。それによって、あなたのたましいの経験値が上がっているのです。そのことへの感謝の気持ちを忘れないようにしてください。苦しい経験、悲しい経験に感謝をするということは、なかなかできないかもしれません。けれど、この世で起こる幸と不幸はすべて表裏一体。深く傷ついて、これ以上の不幸はないと思っても、裏を返せば、それはその分、たましいが強く輝くチャンスなのです。そのことに気づけば、夢に一歩、近づけるのです。

【生きる醍醐味《だいごみ》】

人とかかわり、いろいろなことがあって、削られて痛い思いをする。そしてたましいが輝きはじめる。それこそ、この世に生まれた醍醐味です。そうやってたましいを磨く体験をすることが、私たちがこの世に生まれてきた意味なのです。

【気持ちの原動力】　自分を信じる気持ち。「自分にはできる」と確信する気持ち。これがないと人間は頑張れません。頑張る気持ちの原動力、それが自信なのです。

【勇気と自信】　失敗しても、つまずいてもいい。人に何と思われてもかまわない。ともかくやってみる。その勇気が、やがて自信につながるのです。自信は経験から生まれます。失敗を恐れない勇気がそれを育てるのです。

【自信を支えるもの】　自信を支える車輪は2つ。「経験」と「信じる心」です。

自信を持ちたいなら、どんどん経験していくこと。経験が自信の土台になるのです。もうひとつの土台は、「信じる心」です。ひとりぼっちの人は、この世に誰もいません。すべての人は、たましいの親であるガーディアン・スピリット

（守護霊）に見守られています。その背後にはたましいの家族であるグループ・ソウルが、そして自分をこの世に送り出してくれた「人智を超えた大いなる力」の存在があります。それを信じていれば、どんな困難にぶつかったときも、「もうダメだ」と思い込んでしまうことはないはずです。経験と信じる心。この2つがそろっていないと、自信過剰になったり、自信喪失してしまったりするでしょう。反対に、この2つがそろっていれば、人生は幸福と充実に向かって進んでいくのです。

【信じる力】　私たちは信じる力を試されながら、失敗をくり返し、少しずつ気づいて、やがて本当の自信を身につけていくのです。

【自信が持てないとき】　自信がなくて当たり前。ないことをあれこれ思い悩む必要はありません。ないからこそ頑張ればいいだけなのです。

「自信がない」という態度は、一見、謙虚に見えます。でも、じつはそれは傲慢な態度です。私たちは、みんな落ちこぼれの天使。未熟な部分があるからこそ、それを乗り越えて成長するために現世に生まれてきたスピリットの存在です。だから、自信が持てなくて当たり前。「自信がない」と悩んでいる人は、「自信はあって当たり前」と考えているから苦しいのです。

【出会い】　この世に、「偶然に出会う」人は、誰ひとりとしていません。必ず何かの縁があるから出会うのです。どんな人も、あなたに何かを教えるために、出会わせてもらった人なのです。

この世に偶然はありません。人との出会いもまた必然です。電車の中であなたの足を踏んだ人さえ、あなたと縁があるのです。その人と出会ったのはなぜなのか、どんなたましいのつながりがあるのか、常に考えるようにしてください。人との出会いがいっそう楽しくなるはずです。

【人の縁】　私たちは縁のない人とは出会えません。出会う人はすべて縁のある人。ただし、すべての人と縁が深まるわけではありません。あなたがその人にどんな気持ちを持ち、どんな言葉をかけ、どんな態度をとるか。それによって、縁がしぼむこともあれば、花開くこともあるのです。

出会いは宿命です。けれど、出会った人とどんな関係を築いていくかは、運命です。自分しだいで、どうにでも変わるものなのです。いい関係が築ければ、そこから得るものは大きいでしょう。「いまひとつだな」という関係でも、必ず何か学べることはあります。それを忘れずに、どんな縁も大切に育ててください。

【嫌な人との出会い】 嫌な人と出会うということは、成長のためのカリキュラム。たましいが磨かれていけば、だんだんいい人との出会いが増えていきます。

意地悪な人との出会い＝不運ではありません。どんな出会いも幸いなのです。鏡を見れば自分の姿がわかるように、出会う人を見れば、自分の姿を知ることができます。だから私たちは成長できるのです。これは本当に幸せなこと。出会いは自分に気づき、成長するチャンスなのです。

【出会いを変える】 私たちは、いい人とだけ出会うことはできません。けれど、出会った人といい関係を築こうと考え、努力することはできるのです。

相手を変えるよりまず自分が変わることです。「頑張って自分から変わってみよう」と努力を始めると、その高い波長が、同じ波長を持つ人との出会いを呼び寄せます。運命を切り開こうとする意欲が、すばらしい出会いとなって返ってくるのです。

【気が合う人、合わない人】

気の合う人との出会いが続くとき、それは自分を変えるチャンスです。苦手な人との出会いが続くとき、それは自分を振り返るべき時期です。

気の合う人との出会いが続き、仲間の輪が広がるときは、あなたの波長が高まっているとき。大きく成長できるチャンスです。その出会いによって、仕事や結婚など、人生にさまざまな影響がもたらされるはず。今までの自分を固守せず、心をオープンにして、新しい出会いを楽しみましょう。反対に、苦手な人との出会いが続くときは波長が低くなっているとき。自分を振り返り、何が原因で波長が低くなっているのか、じっくりと考える時間を持ちましょう。そして、心身を休め、波長を高める努力をしてください。

【人から学ぶ】 私たちは、人がいないと、気づくことができません。たったひとりでいては、成長することができないのです。ですから、自分を磨きたいと思うなら、人を避けてはいけません。人から遠ざかってしまっては、何も学べないのです。

【嫉妬心】 誰かを「うらやましい」と思ったそのときが、自分を知り、自分を変えるいいチャンスです。

基本的にこの世は公平です。幸せだけの人はいないし、不幸だけの人もいません。その事実に気がつけば、いたずらに人をうらやむということはなくなります。それでも、どうしてもうらやましくて仕方がないときは、じっくりと自分を振り返りましょう。自分は相手の何がうらやましいのか。漠然とうらやむのではなく、ポイントを理解すれば、自分の本当の望みや願いがクリアになります。目標がはっきりすれば、少しずつそれに近づくことができるようになるでしょう。「妬《ねた》ましい」という気持ちにとらわれていると、自分を変えることができません。目標を定めて、動き出しましょう。

【トラウマの克服】　自分にはトラウマがあると決めつけてはいけません。その頑固さは心の弱さから生じます。「強くなりたい」と念じてください。祈りは必ず通じます。

同じように悲惨な家庭環境に育っても、それを乗り越えられる人と、乗り越えられない人がいます。厳しい言い方ですが、トラウマを乗り越えられないのは、やはりその人自身に弱いところがあるのです。まず自分の弱さを認めてください。「私はトラウマがあるから、人を愛せないし愛されもしない」と思っている人は、そう思うことで、傷つくことから自分を守ろうとしているのです。心の傷から生まれた弱さを見つめる勇気を持ち、それを癒し、乗り越えようと決意してください。何も不安に思う必要はありません。あなた自身が、自分の力で立ち上がろうとするとき、必ず大きなサポートが得られます。

【命の喜び】　私たちは、つい忘れてしまいます。今ここに命を与えられて、働いたり、恋をしたりできる、その奇跡のような確率を。私たちに現世での命が与えられたこと自体、本当にすばらしいこと。その喜びを常に感じて生きていくことが、

「前向きに生きる」ということです。

【愛の証明】　今、あなたが生きているということ。そのこと自体、あなたが愛されている証拠です。

愛されずに生きてきた人は、ひとりもいません。人間は愛されないと生きていけない存在なのです。赤ちゃんのころ、必ずミルクを飲ませ、おしめを替えてくれた人がいたでしょう。誰かが何かをしてくれたからこそ、今、私たちは生きています。家族とは限りません。隣のおばさん、親戚のおじさん、誰かがかわいがってくれたからこそ、今ここに、あなたは存在しているのです。

【10パーセントの愛】　120パーセントの愛だけが、愛情ではありません。たとえ10パーセントでも、それはあなたに向けられた愛なのです。

私は愛されていないと感じている人は、不足している部分だけに注目していることが多いのです。それではあったはずの愛を見落としてしまいます。「120パーセントの愛でなければ、愛ではない」と思い込んでいると、どんなに恵まれた人でも、愛を感じる力はゼロになってしまうのです。たとえ少しの愛でも、その愛を感じてください。その愛に感謝してください。

【愛が信じられないとき】　自分の周囲に必ずある「10パーセントの愛」を感じること。まずそこから始めてみましょう。どんな人でも愛されてきているのです。受けた愛情の量に違いはあるかもしれません。でも、必ず愛されて生きてきたのです。

【感謝の心】　今、ここにこうして生かされているということ、うまくいかないことが多少あっても、それは自分を鍛え、学ばせようとする愛なのだということに、いつも感謝してください。困難や障害があるからこそ、人生は輝くのです。それは、あなたが愛されているという証拠なのです。

【寂しさを埋めるもの】　ものが本当に寂しさを埋めてくれるでしょうか。自分を守ってくれるでしょうか。答えはノーです。寂しさを埋め、心を守ってくれるのは愛だけです。

ものに執着して捨てられなかったり、不必要なものまで買い込んでしまったりするのは、心の寂しさをもので埋めようとしているからです。鎧《よろい》のようにものをまとって、自分をガードしようとしているのです。今、部屋の中にものがあふれているなら、それは、「愛の電池が切れかかっているよ」という心のシグナル。その声を敏感に感じ取ってください。そして、愛の電池を蓄える努力をしてください。

【すべては借り物】　この世で私たちが持てるものは、物質ではありません。愛情や経験です。あなたが人に与え、人から与えられる心。そういう無形のものだけです。

この世で「自分のもの」といえるものは、何ひとつありません。すべては借り物です。たとえば洋服は繊維でできています。繊維は樹木でできています。樹木は地球のものです。石油製品にしても同じ。すべては自然界からできたもの。私たちはそれを借りているだけです。人の肉体もまた、結局は骨になり、地球に返っていきます。基本的に、「この世で所有できる物質はない」と考えてください。私たちが豊かにすべきなのは、無形のもの。ハートにかかわる部分だけなのです。

【自分のフィールド】

あなたの場所はどこですか？　そこで何ができますか？

人はそれぞれ課題を持って生まれてきます。その課題にふさわしいフィールドを与えられているのです。それぞれが与えられた場所と立場で、どれだけ心豊かに過ごせるか。それを考えてみましょう。

【心の栄養のとり方】

誰かがポンと救いを投げかけてくれる。自信をつけさせてくれる。夢を見させてくれるということはありません。心の栄養も、ご飯を食べるのと同じように、自分の手を使い、口を使って咀嚼《そしやく》しないと、身につかないのです。

夢をかなえたい、幸せになりたい、と思うとき、座して待っていてはいけません。まず自分の心を見つめて、自分が本当に欲する夢を確認してください。強く願ってください。次に、周囲にアンテナを張りましょう。人とかかわり、人の言葉、本や講演、映画などから情報を得る。そういう人とのふれあいや知識こそ、心の栄養です。時期を待っていた夢や願いが、その栄養を与えられて、小さく芽吹き、やがて大きく育って花を咲かせるでしょう。

【漠然とした不安】

人はみんな、心の中に漠然とした不安を抱えて生きています。順調なときは忘れていても、何か物事が滞ったりすると、不安が思い起こされ、その思いが強くなります。それは、私たちがこの世に生まれてきた意味や、私たちは常に見守られている存在であるという真理を忘れてしまっているからです。

不調なとき、不運だと思えるときこそ、この真理を思い出しましょう。ひとりぼっちでポツンと生きている人は、この世にいません。地上の生き物すべてに太陽の光がいきわたっているように、すべての人は見守られているのです。

【人の目、自分の目】

人の目を必要以上に気にしすぎると、本来の自分らしさを見失って、息切れしてしまいます。基本は自分です。あなた自身がどう思っているのか。あなたのたましいに嘘をついていないか。それを基準にして生きるほうが、ずっとラクなのです。

あなたには、持って生まれた、あなただけのすばらしさが必ずあります。それを信じ、それを受け入れて、磨いていってください。他人や世間がどう思うかは、二の次、三の次。そんなふうに考えるくらいでちょうどいいのです。まず、あなた自身があなたを評価することが大切です。

【自分の力で立つ】

まず「寂しい」という思い込みを捨てましょう。そして、人の中に出ていきましょう。自分の力で立って歩こうと決めないと、寂しさはなくなりません。ほかの誰でもない、あなたがそれを決めなくてはいけないのです。

【やさしい気持ち】

やさしい気持ちでいたいなら、言霊《ことたま》を上手に使いましょう。やさしい気持ちでやさしい言葉をかければ、相手もやさしくしてくれます。相手のその態度でまたあなたも癒されるのです。

言霊とは言葉のエネルギーです。疲れているときほど、相手に自分の今の状態や、してほしいことを、きちんと言葉で伝えてください。「私は今日、とても疲れているの。だからあなたに甘えたい」「悲しいことがあったんだけど、話を聞いてくれる?」そんなふうにありのままの心を言葉にしてください。相手があなたの気持ちを理解して、やさしくしてくれたら、「ありがとう」という感謝の言葉も忘れずに。疲れているときこそ、言霊の力を借りましょう。

【あなたの幸せ】 自分の幸せは、自分でしか決められません。自分にとって、本当の幸せを決めるのは、世間でも家族でも友だちでもなく、あなた自身です。

人生は選択の連続です。そのとき、選ぶ道を決断できるのは、自分自身だけ。決して世間の価値観に惑わされないようにしてください。世間の価値観に縛られると、目の前に壁が立ちふさがります。自分の心が本当に求めることは何か。その声に素直にしたがって自分の人生を決めましょう。たましいの声にしたがえば、この世の中に、越えられない壁は何ひとつありません。

【自分に嘘をつかない】 頭で考えた通りにはいかない。義理やしがらみだけでは動けない。それが人間の心です。最も必要なのは、その心に忠実になることです。自分の心に嘘をつくことだけはやめましょう。

【自分への投資】　自分に自信がない。だから明るくなれない。それなら自分を磨きましょう。そのための自分への投資は惜しんではいけません。

ポジティブに生きるためには、心身の垢《あか》をとっておかなくてはいけません。明るい気持ちになれない、自信が持てないというとき、そこには必ず理由があるはずです。その理由を見つけて、前向きに乗り越えられるよう、挑戦してください。エステでもいいし、スキルアップのための勉強でもいい。悩みやコンプレックスの中にうずくまっていてはいけません。人は行動することによって、内側から明るい輝きを放つようになるのです。

【自分を好きになる】　「きれいになりたい」と思うとき、そこからはつらつとしたオーラが出ます。「きれいになりたい」と思った瞬間に、今までより確実に美しくなっているのです。

自分を嫌いな人は、たとえどんな恵まれた容姿に生まれていても、決して幸せにはなれません。自分を好きになること、それが幸せへの第一歩です。それほど難しいことではありません。好きなところがなければ、つくればいいのです。

スポーツジムに通ってもいいし、エステに行ってもいい。「どうせ効果がない」とあきらめずに、自分に合うものを探して、勇気を出して挑戦してみましょう。そのとき、前向きな輝きが生まれて、あなたはきれいになれるのです。

【才能】

何も才能がない人は、この世にいません。みんな宝石なのです。

人はみんな、生まれながらに得意な分野を持っています。磨かれていない宝石の原石のようなものです。自分がどういう宝石を持っているか、何を磨けばいいのかをしっかりと見極めましょう。人から見てカッコいいこと、お金が稼げること、という限定をつけてしまうと、磨くべき源を間違えてしまいます。人からどう見られるかではなく、自分に何の才能があり、何に向いているのか、「たましいの質」を正しく知ることこそが大切なのです。

【鏡の持つ不思議な力】

鏡は肉体だけでなく、私たちの内面をも映し出します。誰かを憎んだ、むやみに腹を立てた、嘘をついた、傲慢な振る舞いをした。そんなとき、鏡の中のあなたの顔はくすみます。

とりわけ、誰かを「妬ましい」と思う気持ちは、心を疲れさせ、顔を曇らせます。気をつけましょう。

【傲慢な心】　高すぎるプライドや傲慢さをなくすことは、誰にとっても難しいものです。影のない人がいないように、まったく傲慢でない人はこの世にいません。

影のように貼りつく傲慢さをなくすには、自らが光の中に入っていくこと。いいかえれば、この世の真理に気づくことです。自分が何のために生まれてきたのか。人は死んでどこへ行くのか。愛とは何か。すべてにおいて、自分なりの「哲学」を見つけてください。もちろん、すぐに見つかるものではありません。頭では理解できても、たましいで実感できるようになるには、時間がかかるのです。それまでに何度も手痛い失敗をくり返すでしょう。けれど、自分なりに真理を追究していく過程で、少しずつ、傲慢さや高すぎるプライド、恥の意識など、自分を苦しめるものから抜け出せるようになっていくのです。

【引っ越しどき】　ツキに恵まれないときは、引っ越してはいけません。変えなくてはいけないのは、部屋ではなく、「自分」です。

嫌なことがあったり、ツキに恵まれないと感じたりするとき、引っ越しでもして運気を変えたいと思うことがあるでしょう。けれど、自分が変わらなければ、どこに引っ越しても同じです。気分転換が必要なら、引っ越しよりも旅行のほうが有効です。自分が変わってこそ、運気も変わるもの。すると、今住んでいる場所が自分に合わない、と感じるようになるかもしれません。そのときこそ引っ越しどき。自分のインスピレーションを信じて、思いきって自由に動きましょう。

【居心地のいい場所】　自分が毎日暮らす部屋は、心にも体にも大きく影響します。ていねいに選んで、手入れをすることで、幸せへ一歩近づくことになるのです。

【心の掃除】　部屋の掃除をおろそかにしていると、疲れはますますたまってきます。あなたが暮らす部屋と、あなたの心身はつながっているのです。掃除の時間は心を振り返る時間。心の掃除をする時間だと考えてください。

部屋を見ると、そこに住む人のたましいの状態までわかります。ゴチャゴチャと、ものがたくさん置かれている部屋では、その人自身の気持ちも整理できていません。反対にスッキリした部屋、温かみを感じさせる部屋にいる人は、たましいもスッキリとしていて温かいのです。逆にいえば、部屋をスッキリと片づいた状態にすることで、気持ちも整理できて、温かい、心地いい気分になれるということです。ですから忙しいとき、また、疲れてイラだっていると感じるときほど、いつもよりていねいに部屋を掃除してみましょう。その効果にきっと驚くはずです。

【たましいへの責任】　あなたのたましいが欲することは、あなた自身が責任を持って、実現に向け努力するしかありません。世間は、いいえ、家族でさえも、あなたのたましいに最後まで責任を持ってはくれないのです。

どんなことでも、「世間体があるから」「親が反対するから」という理由で行動するのはやめましょう。人生の最後になって、「反対されたからできなかった」と後悔しても、世間や家族は何もしてくれません。自分の行動に責任をとれるのは自分だけです。後悔しないよう、自分の意志でいろんなことにチャレンジしてください。

【ひとりの時間】 すべての夢をかなえる道は必ずあります。それを探す基礎となるのが、1日5分のひとりの時間です。

ひとりで過ごす時間は、どんな人にも絶対に必要なものです。それがないと、日々の雑事にまぎれて、自分自身の本当の心を見失ってしまいます。1日5分、ひとりになって、自分自身を取り戻す時間を持ちましょう。10年後のビジョンを思い描き、自分がどうなりたいのかをイメージしましょう。イメージする力が強ければ強いほど、夢は実現に近づきます。ひとりで自分を内観する時間、それが明日からの毎日を確実に変えていくのです。

【ひとり旅】 私たちはみんな、この世に生まれたときからひとり旅を始めた旅人です。ひとりで生まれて、ひとりで死んでいくのが私たちの宿命です。

ひとりで考え、ひとりで決定し、行動する。それができないと、ひとり旅はできません。現世でも同じこと。すべての責任は自分にあります。自分で決めて、自分で行動しないと何も始まらないのです。ですから、ひとり旅が苦手な人は、現世での生き方も苦手な人といえるでしょう。ひとりで旅に出ると、いろいろな気づきがあります。新しい自分と出会えたり、いつもそばにいる人の大切さをあらためて感じたり。何より、「自分の人生の主人公は自分である」ということが、強く実感できるはずです。たまには携帯電話を切って、ひとりで旅に出てみましょう。

【言葉の掃除】　自分がまいた言葉のエネルギーは、自分で取り消さないと消えません。ネガティブな言葉は、黒板に書いた文字を消すように、消し去りましょう。

【「あの人が嫌い」は「自分が嫌い」と同じ】　私たちは自分が克服できていない欠点を相手も持っているとき、それをどうしても許せないと感じてしまいます。つまり、相手ではなく、自分が嫌いなのです。

すぐに人の欠点に目がいって、相手を嫌いになってしまうという人は、じつはコンプレックスの強い人だといえます。同じ欠点を自分も持っているというとき、相手が許せなくなるのです。もし自分が頑張ってその欠点を克服していれば、相手に対しても寛大になれるはずです。「私も昔はそうだった。この人は今から克服するんだな」と、広い心で見ることができるのです。相手の欠点より長所のほうを見ることができるようになります。これは、自立した大人になるための、ひとつのステップなのです。

【広い心】　広い心で人と接するとき、あなたの心の奥にいる神が目を覚まします。その神のやさしさに、あなた自身が癒されるのです。

【幸せの前兆】　暗闇は幸せの前兆。暗闇の中で自分を磨いて努力をする。波長を高める。そうすれば、ツキはいくらでも呼び込めます。

【不運のとらえ方】　物事がうまくいかないのは、「不運」だからではありません。

自分がネガティブなものを出していたから、同じものが近寄ってきただけ。自分がよくない種をまいたから、同じものが返ってきただけなのです。

この世に降ってわいたような「不運」はありません。すべては自分が心に抱いた「思い」「言葉」「行動」から始まっているのです。ですから、不運が続くと思うときほど、自分の心のあり方を見直してみましょう。自分の中の何が不運な現象を引き起こしたのか、その点を考えることを求められているのです。

【どんな人にもある幸せ】

人には誰でも、「うらやましい」と思ってもらえる部分が必ずあります。今、自分が何をしたいのか見えなくて焦っている人にも、何も誇れるものがないと不安に思っている人にも、必ず「いい部分」があるのです。

私たちは、自分にないものを持っている人をつい「うらやましい」と思ってしまいます。けれど、どんな人にも、いついかなる場合でも、人にうらやまれるような「いいこと」は必ずあるのです。たとえば自分が何をしたいのかわからず、漫然と過ごしているという人は、逆にいえば、自分の自由になる時間をたっぷり持っているということ。その時間を使って、のんびりエネルギーを充填することができるでしょう。そういう見方をすることで、純粋でポジティブな心を取り戻せるのです。

【自己責任】 人生で起こるすべてのことは、自分に責任があります。誰のせいにもできません。

自分が全責任をとるということは、いいかえれば「自分の人生は自分自身でつくっていける」ということです。自分の思いひとつで、人生は変えられるのです。人まかせの人生などありえません。だからこそ、すばらしいのです。その喜びを感じてください。

【人生のテーマ】 人生を振り返って、「何度も同じことをくり返している」ということがあれば、それこそ、あなたの人生のテーマです。

同じことをくり返すのは、その意味に気づいていないからです。だから「これでもまだわかりませんか？」と、同じようなことが起こるのです。自分が克服すべき課題に気づいたとき、このくり返しは終わります。そしてまた次のテーマが示されるのです。ですから、自分の過去を振り返ってみることが必要なのです。そこに現われる自分の本当の姿を見つめていかないと、いつまでも同じことで苦しむでしょう。「嫌なことは忘れたい」と、人はよくいいますが、記憶喪失にでもならない限り、忘れることはできません。けれど、その意味を理解することはできます。なぜ自分にそれが起こったのか、何を教えられているのか、それを理解したとき、「嫌なこと」は、少しずつ消えていくのです。くり返しも避けられます。恐れずに自分の姿を見つめること。そしてその中から自分のテーマに気づくこと。それが幸せへの第一歩です。

【自分を知る】

ふと目にとまった一冊の本の中のひとつのフレーズ。その中にもヒントは隠されています。本一冊、映画一本、歌詞の一節からでも、本当の自分を知ることができるのです。

ふと読んだ本のフレーズが気にかかった。映画の中のセリフに涙した。街で聞こえてきた歌の歌詞に心ひかれた。それらすべてに意味があります。あなたが何に悩み、何を疑問に思って生きているのか。何が好きで、どう生きたいのか。

そんな悩みや疑問があるから、「心に残る」という現象が起きるのです。この世に偶然はありません。あなたのたましいが、ある一冊の本を手にとらせたり、映画館に足を運ばせたりします。ふと街で聞こえてきたメロディに、涙ぐませたりもするのです。そういう目で周囲を見回すと、世界は啓示に満ちているということが、きっとわかると思います。

Part 2

〈幸せな恋、結婚、人間関係への約束箱〉

あなたは愛されるためにここにいるのです

【恋は感性のレッスン】　恋は感性を磨くレッスンです。誰かに恋をすることで、泣き、笑い、喜び、怒り、悲しみ、つまり喜怒哀楽のすべてを体験できます。恋をするとは、感動することなのです。

人は恋をすると、さまざまな感情の波に揺られます。出会いの衝撃、思いが通じないもどかしさ、得恋の喜び、そして別れのせつなさ。そのすべてが感動です。たくさん恋をして、別れて、傷ついて、でもその中でこそ、人を知り、自分を知ることができます。いい恋も、悪い恋も、たくさんして、たくさん笑い、たくさん泣きましょう。すると、自分の失敗の仕方を何度も学べるので、立ち直りが早かったり、自分への洞察が深くなったりします。恋愛は感性の勉強。その勉強をさぼっていてはいけません。どんどん恋をしてください。

【愛するということ】　人を愛するということは、自分のことよりも相手のことを大切に思い、相手のために行動するということ。相手のためなら、自分が傷つくことさえ恐れなくなるということです。

【臆病さとの闘い】　人を愛して傷つきたくない。その気持ちは誰にでもあります。けれど、その臆病さから抜け出さない限り、愛は訪れません。たましいを輝かせることもできません。

【たましいの恋人】　鏡をよく見て、自分を知るところから、恋は始まります。澄んだ目で、自分と相手の本当の姿を見つめることが、たましいの恋人に出会う第一歩です。

ここでいう鏡とは、外見を映す鏡のことではありません。心の内面を映し出す鏡のことです。自分の性質を知らずに、自分に合う恋人を見つけることはできません。たとえば、自由奔放なタイプの人が商社マンの奥さんになろうとすると、無理が出てきます。転勤も多く、会社の上下関係が私生活にも持ち込まれる。そんな暮らしでは息がつまるでしょう。「商社マンはリッチでカッコいいから」という理由で選んではダメなのです。経済力などの物質的なことを無視するわけにはいきませんが、それだけが選ぶ基準のすべてになると、必ず目が曇ります。本当の恋にはならないのです。

【運命の赤い糸】 出会いは宿命です。変えることができません。出会いをどう生かすか。これは運命です。運命は努力によっていくらでも変えられます。運命の赤い糸は、自分で紡いでいくものなのです。

人は、宿命によって何人もの人と出会います。これは変えられません。ただし、それからのことは、定められた宿命ではないのです。出会った人とどういう関係を築いていくか。それは自分の努力しだいで、いくらでも変えられます。ですから、ひとりの人に執着して「運命の人だったのに」と嘆く必要はありません。その経験を生かして、次に出会う人とまた恋をすればいいのです。また、結婚した相手が最良の人とは限りません。離婚する場合もあるでしょう。1回目の結婚で苦労した経験から深く学ぶことができていれば、2回目の結婚ではとても幸せになれるのです。

【恋で自分がわかる】 好きになった人を見れば、自分の「たましいのクセ」がわかります。恋の相手にも、自分の心が映し出されるからです。

今まで好きになった人を思い出してください。共通点がありませんか？　そこに自分の心のあり方が映し出されています。特に恋愛では、心のトラウマが映し出されやすいのです。たとえば、自分の父親が大嫌いだったという人は、「理想のお父さん」を恋愛の対象に選ぶことが多いでしょう。母親に「こんな人と結婚しなさい」といわれてきた人は、それに縛られてしまったり、正反対の人を選んでしまったりすることもあります。自分のたましいが求めるのではなく、心の傷に選ばされているのです。それではいい恋はできません。本当に自分と合う人を探すには、そんな自分の心を内観し、きちんと見つめることが必要です。心に傷を負う前に好きになった人、たとえば幼稚園のときの初恋の相手などを思い出してみてください。「カッコよくはないけれど、やさしい子だったな」ということがわかれば、あなたが求めているのは、本当は外見のよさではなく、やさしさだということがわかるはずです。

【愛の告白】　ふられるのが怖くて告白できないというとき、自分の心に問いかけてみてください。本当にその人のことが好きですか？　恋に悩むのが好きなだけではないですか？

好きな人がいるとき、その思いを伝えなければ何も始まりません。伝えて初めて始まるのです。自分が傷つくことを恐れて、告白できないなら、相手より自分のほうが大事だということです。人を愛するということは、自分以上に相手を大事だと思うこと。本当に相手が好きなら、恐れることなく、その気持ちをまず伝えましょう。すべてはそこから始まるのです。

【思いは伝わる】 一生懸命に表現しようというエネルギーと、正直に語ろうとするエネルギーがあれば、必ず思いは伝わります。

【言霊のパワー】 言葉にはエネルギーがあります。言霊のパワーを借りることで、必ず人とわかりあえます。言霊が幸運を呼び込んでくれるのです。

【片思い】 相手に思いが通じないとき、それは、「私はダメだ、愛されない」と考えてはいけません。それは「あなたには別の人がいる」というメッセージなのです。

お互いのたましいにとって、どんな学びが必要か。2人の学びのカリキュラムが合っていないと、恋は成就しません。血液型が合わなければ、輸血できないのと同じことです。「相手の学びにふさわしい人間として認めてください」と祈ることは大切です。けれど、どんなに努力しても状況が変わらないときは、潔くあきらめるしかありません。悲しいけれど仕方がないこと。最大限の努力をしたうえで、きっぱりとあきらめる。それができた人には、もっと自分に合う人との出会いが、必ず用意されているのです。

【「思い」を込める】　大切なのは、気持ちです。どれだけ長い時間一緒にいるか、ではなく、どれだけ「思い」を込められたかが大切なのです。

思いが込もっていなければ、どれだけ長く一緒にいても、恋は続きません。反対に、たとえ時間は短くても、そのときにたっぷり思いを込めて、お互いを大切にしあえたなら、2人に別れがくることはないのです。

【心の結びつき】　人間は、肉体的に、あるいは経済的に恵まれてさえいれば、それでいいわけではありません。最も大切なのは、強い心の結びつきです。

もし相手のよい部分、自分に都合のいい部分しか愛せなくて、三角関係になったり、不倫関係になったりしているとすれば、本当の心の結びつきからは、ほど遠い関係だといえるでしょう。本物の愛の喜び、たましいの強い結びつきを知ることこそが、私たち全員の課題です。

【セックスと罪悪感】 セックスは愛情を分かちあうための大切なコミュニケーション。決してふしだらなものではありません。喜びであり、安らぎをもたらしてくれるものなのです。

人間には性欲があります。それは自然の摂理です。心も体も含めて、相手のすべてを好きになったとき、「結婚したい」という気持ちが生まれます。体だけを汚いものとしたり、逆に神聖なものとしたり、心と切り離して考えるのは、おかしな考え方です。

【本当の愛】 何でも相手の思い通りにしてあげることが愛ではありません。今、手を差しのべることが、相手にとってよくないと思うなら、断るべきです。たとえ憎まれたとしても、あえてそうするのが、本当の愛です。

愛する人が困っているなら、なんとかして助けてあげたいと思うでしょう。けれど、本当に相手を愛するなら、まず冷静に事態を見つめるべきです。助けてあげたい気持ちは、相手のためを思ってのことなのか、それとも自分がよく思われたいからか。後者ならそれは自己愛です。あとでトラブルになることが多いでしょう。また、相手をよく観察すれば、本当に助けが必要なのか、それとも甘えているだけなのかも見極められるはず。甘えさせて相手をスポイルすることは、決して本当の愛ではありません。

【都合のいい愛】　相手のよい部分も悪い部分も含めて認め、受けとめることが本当の愛です。自分に都合の悪い部分を受けとめられないなら、本当の愛とはいえません。

【恋の障害】　もし恋人に転勤などの話が持ち上がったときは、2人の関係を見つめ直すいいチャンスです。その愛が本物かどうか、試されているのです。

2人が物理的に離れなければならない状況になったとき、それは2人の間にある愛が本物かどうかを試すいいチャンスです。もし、「いつもそばにいて、寂しさをまぎらわせてくれる人」というように、実用的な「便利屋さん」としてつきあっていたなら、2人が遠く離れたとき、恋は終わるでしょう。本当の心の結びつきがあり、お互いが相手のことを心から思いあっている関係なら、距離は何の障害にもなりません。

【恋愛と仕事】

仕事が恋や結婚の障害になるということはまずありません。仕事に夢中になったせいで、彼とのすれ違いが多くなり、別れてしまったという人もいますが、それは仕事のせいではなく、2人の間に愛が足りなかったからです。

恋愛は、人が自分以外の他人を愛するようになるための大切なレッスン。感動を味わうため、たましいを成長させるための大切な課題です。それは仕事も同じこと。どちらも重要な人生の要素です。恋が終わったとき、それを仕事のせいにしないでください。なぜ恋が続かなかったのか、その本当の理由を考える中に深い学びがあるのです。

【与える愛】　「2人とも好き」は、「2人とも嫌い」と同じことです。2人の人を好きになって悩んでいる人は、「得る」ことだけでしか愛を考えていません。「与える」愛を知らないのです。

Aさんはやさしくていい人だけど、一緒にいてドキドキする刺激はない。だから刺激はBさんに求める。そんなふうにパーツごとに相手を取り替えたいと思う人は、相手を愛しているのではなく、自分を愛しているのです。相手のことを思うよりも、まず自分が心地いいこと、都合いいことを優先しています。「相手より、自分」と思うときは、愛を疑うほうがいいでしょう。

【2つの不倫】　不倫には2種類あります。好きになった人がたまたま結婚していただけで、お互いに純粋に愛しあっている不倫（前向きな不倫）と、家庭は家庭で残し、都合よく相手とつきあっている打算がらみの不倫（後ろ向きな不倫）です。

いわゆる「不倫」への評価は、時代や国家、社会背景によっても変わってきます。一概に悪だと決めつけられない面もありますが、今の日本で後ろ向きの不倫をする場合、裏切っている相手に対して後ろめたい思いをすることで、たましいを汚すことになります。心を傷つけてまでも、後ろ向きの不倫をする価値はありません。

【障害のある恋】 「不倫は嫌だ」といいながら、不倫をくり返す人は、不倫という状況設定が好きなのです。「男運が悪い」のではありません。好きだから自分で呼び込んでいるだけです。

【ヒロイン】 みじめな恋を終わらせるのは、ほかの誰でもない、あなた自身です。遊ばれているとわかっているのに、相手から離れられないときは、自分への自信と誇りを取り戻してください。悲劇のヒロインのような自分に酔っているなら問題です。どうせ演じるなら悲劇のヒロインではなく、けなげで強いヒロインを演じましょう。そういう努力をしていれば、必ず新しい出会いが訪れます。

【愛と打算】　打算を愛と勘違いしていると、相手も自分も傷つけることになります。

打算とは、自分の利益を最優先する気持ちです。たとえば、「ひとりは寂しいから、とりあえずキープしておこう」「自分に尽くしてくれる異性がいるほうが便利」などと思っていると、腐れ縁になってしまうのです。それは本当の愛とはまったく違います。

【失恋のすすめ】　失恋は、いつか本当に愛しあえる人とめぐりあい、幸せになるために必要な試練。本当の愛に出合うための大切なレッスンです。

失恋は人間にとって絶対に必要なこと。失恋で傷つく痛みより、得るもののほうが絶対に多いのです。異性とのかかわり、それによってもたらされる幸福と、受ける傷の痛み。それを知らずに幸せになることはできません。傷つくことを恐れずに恋をしてください。恋を失う苦しみも経験してください。それによって、あなたのたましいはますます磨かれ、輝いていくのです。

【出会いと別れ】 出会いや別れに必要以上にこだわらないでください。出会う人とは出会うし、別れる人とは別れます。波長の法則によって出会いも別れも決まるのです。

【別れのとき】 愛する人との別れは、決してペナルティではありません。むしろ新しいステップの始まりです。

愛する人との別れがきたとき、寂しいのは当然です。けれど、別れは決して「罰」ではありません。「どんなときも高い波長でいられるように努力をしなさい」と、ガイド・スピリットからいわれているのです。感傷的になる必要はありません。別れがきたということは、新しい出会いがすぐそこにきているということ。クヨクヨしていると、波長が下がり、せっかくの出会いを遠ざけてしまいます。人との別れにいたずらに心を揺らさず、これからどんな人と出会うのか、心躍らせて待ちましょう。

【思い出上手】 終わってしまった恋を忘れる必要などありません。愛したことは

すばらしいこと。一生覚えておきましょう。

ひとつの恋が終わったとき、その人を忘れる必要はありません。けれど、一日もはやく思い出にしてください。失恋を思い出に変えるのが上手な人のほうが、幸せになれます。失った恋をいつまでも引きずってはいけません。好きになれる人と出会えた。こんなに悲しくなるほど愛せた。その思い出を、心のとっておきの場所に大切にしまったら、新しい恋はもう目の前です。

【再会】

すべての出会いには意味があります。再会の場合も同じです。

久しぶりに昔の恋人や友人に街でパッタリ出会った。そんな出会いも偶然ではありません。「今の人間関係を振り返ってごらんなさい」というメッセージです。昔の恋人や友人に会うと、今の人間関係がくっきりと見えてきます。「あのころ」と比べて、今の自分は人とどうつきあっているか。比較することができるので、よく見えてくるのです。たとえば、「人の気持ちが以前よりよくわかるようになった」とか「昔より慎重になっている」など、成長したり変化したりしていることが必ずあります。懐かしい人との再会は、自分に気づくきっかけのひとつになるのです。

【別れの傷】　宝石の原石は、傷つけないと磨けません。磨かないと輝くことはできません。人のたましいも同じです。傷をつけないと成長しないし、輝けないのです。

別れがきたとき、心は傷つきます。けれど、本当は傷ついたのではなく、「削られた」のです。削られて、磨かれたのだと考えましょう。人のたましいは宝石の原石のようなもの。深く傷ついた人は、それだけ強く輝ける人になれます。浅い傷だけつけて、適当に磨いている人は、適当にしか光れません。深く傷ついた。深く削られた。そのときこそ、たましいを強く美しく輝かせるチャンスなのです。

【たましいの研磨剤】　傷の中にうずくまっていると、恨みや憎しみが増殖し、原石は光を失います。別れはたましいの研磨剤。削られるから、明日のあなたが輝くのです。

【独身の価値】　独身時代は種をまく時期。今しかできないことに真剣に取り組み、思いきり楽しみましょう。運命の人はそういうときに現われます。

「○歳までには結婚したい」と思って焦っているときは、かえって相手は現われません。独身時代を大切に、独身でいることを謳歌《おうか》してください。できるだけたくさんの人と会い、いろいろなことを体験してみましょう。そうやってまいておいた種が、やがて芽を出します。生涯をともにしたいと思える人が、必ずその中に現われるのです。

【人はなぜ結婚するのか】　自分ひとりでは学べなかったことを、結婚して家族をつくることによって学んでいく。そのために、人は結婚をします。互いにない部分を学びあえるぴったりの相手。そんな2人が出会うべくして出会い、結婚へと導かれるのです。

結婚自体は試練であり、修行です。恋人状態が続くのはせいぜい3年。そのあと2人の関係は「家族」へと変化していきます。その中でさまざまな出来事が起こるでしょう。それに耐えて、より強い「家族の絆」をつくっていく。そういう試練に向かってチャレンジする。それが結婚なのです。

【パートナー】 ガイド・スピリットは、あなたに必要な学びを与えるために、ちょうどいい相手を探してくれます。2人がひとつになれば、より深い学びができると判断されたとき、2人は結ばれるのです。

相手が好きだから結婚する。一般的にはそう思われています。それは「好き」というワクワクした気持ちがないと、人は結婚をしなくなるからそういう感情を与えられているだけ。本当は、「この2人が結婚すると、より深く学べる」という理由で、私たちは結婚しているのです。

【結婚の目的】 結婚は継続であり、忍耐です。ケンカをしたり、苦労をしたりすることが当たり前。その中で磨かれる感性があり、培われる忍耐力があります。そのために、人は結婚するのです。

恋愛は感性のレッスンですが、結婚は忍耐のレッスンです。家族としての長い道のりの中、仕事や子育てで、さまざまな問題が持ち上がるでしょう。忍耐力が試されます。そのとき、心が恋愛モードのまま波立っていると、うまく対処できません。恋愛と結婚では、学ぶ課題が違うということを覚えておいてください。

【恋愛と結婚の違い】

結婚するということは、2人でユニットになり、一緒に社会と向きあっていくということです。恋愛は、1対1、あなたと私の世界。結婚は、2対多数。私たちと社会、という関係に発展したものなのです。

結婚の相手と恋愛の相手は、まったく違うと考えてください。結婚相手を選ぶときは、ともに同じ方向を向いて、社会に出ていける相手かどうか、ということを中心に考えなくてはいけません。「この人と結婚したら、私も相手もお互いに学びあいながら、安心して社会で活躍できるだろう」。そういう人を選んでくださ い。そのためには、さまざまな事柄に対する価値観が同じであることがとても大切です。

【いい結婚とは】

「結婚してから、あいつはいい仕事をするようになった」とい

われるような結婚が、いい結婚です。

恋愛は訓練の場。そこでいろいろなタイプの人を知り、自分がどういうタイプの人となら、安心して家庭を築き、そこを足場に社会で活躍できるようになるかを学ぶ場です。結婚は実践の場。恋愛の訓練で学んだことを生かして、パートナーとともに、家庭生活、社会生活を築いていく場なのです。結婚相手は、チームを組んで、ともに社会と戦うパートナー。ですから、結婚してからの社会的な活動を見れば、その結婚がいい結婚だったか、そうではなかったかが、わかるのです。

【人を愛するということ】

人は、家族の中に生まれて、愛を学び、やがてその愛を、家族以外の人にも向けられる人間になっていきます。それが人間の成長の過程です。結婚はそのためのひとつのステップなのです。

人は基本的に、愛することが苦手です。ましてや血のつながらない他人を「家族のように愛する」ことは、一足飛びにはできません。ですから、まず自分の好きな他人と結婚をして、その人と家族になり、愛を学ぶというしくみになっているのです。つまり結婚とは、私たちのたましいを成長させるために、現世という学校の中に組み込まれたシステムのひとつ。お金や仕事、病気などと同様に、学びのために必要なトレーニングマシンといえるでしょう。さまざまな経験や失敗を経て、人を愛することを少しずつ学んでいくのです。

【祝福のエネルギー】　結婚式は、招待された人にも幸せを呼び込む素敵なチャンス。明日、自分自身が幸せになるためにも、今日、幸せになっている人を心から祝福してください。

結婚式には喜びのパワーが満ちています。2人の幸福のエネルギー、みんなの祝福のエネルギーでわき立っているのです。新しい門出に立つ2人を心から祝福する気持ちがあれば、そのパワーのお裾分けがもらえます。けれど、もし妬みや嫉《そね》みの気持ちがあると、それが自分の周囲にバリアを張り、せっかくの祝福と愛のエネルギーを受け取れなくなってしまうでしょう。幸せのエネルギーを受け取るためにも、心からの笑顔で祝福してください。

【障害のある結婚】 2人の間に愛があるなら、年の差があろうと、育った家庭環境が違おうと関係ありません。ただし、自分という人間の器では、その障害を乗り越える自信がない場合は、あきらめましょう。

人にはそれぞれ器があります。結婚は長丁場。無理しすぎないほうがいいのです。今の自分がどこまでの困難になら耐えられるか、どれぐらいの強さを持っているか、冷静に判断することが大切です。結婚を反対されたときは、何よりもまず自分の器をじっくりと見つめてください。

【強さの源】 障害を乗り越える強さの源は、他人に頼らず、自分ひとりの力でも生きていけるという自立心です。

結婚を決めるときは、お互いへの愛の強さと、自立心の有無、この2つをはかりにかけて、相手と自分の姿をしっかりと見つめてください。お互いの愛と自立心が確認できたら、結婚に踏みきりましょう。

【結婚相手を見極めるコツ】 結婚相手を見るときは、桜の苗木を見るように見てください。冬は枯れていても、春になればきれいな花を咲かせます。そこまで見通す目を持つことが大切なのです。

今は頼りない苗木だけれど、この人は将来伸びていくだけの根性と性格のよさがある。そういう点を見抜かないといけません。すでに何もかも完成されている人は、逆にいうとつまらないのです。未熟な部分はいっぱいあるけれど、「いい苗木ね」と思える人を自分で育てていく。そんな感覚で結婚相手を探してください。

【シングルか結婚か】独身を貫くのも人生、結婚するのも人生。どちらを選んでもかまいません。どちらも、「自立した自分」が幸せの鍵です。

独身のままでも、結婚をしても、どちらでもかまいません。子どもを産むか産まないかも同じです。それぞれに、それぞれの学びがあるのです。独身でなければできないことをしたり、子どものかわりにすばらしい仕事を生み出したり。それを自分の意志で選択することが大切です。結婚しないこと、子どもを産まないことによって、また別の課題が与えられています。あなたにとって、その課題とは何か、考えてみてください。

【独身主義者】　コンプレックスから独身にこだわるなら、実りの少ない独身主義になります。自分が独身でいるのは、何かの目的あっての選択なのか、それともネガティブな恐怖にとらわれてのものなのか、自分で判断することが大切です。

自分のコンプレックスやトラウマ、ネガティブな恐怖心が原因で、結婚から逃げている場合、少しずつその理由を明らかにして、本当の自分と向きあってください。やさしい友だちや恋人に話を聞いてもらったり、カウンセリングを受けたりするのもいいでしょう。トラウマを乗り越えて、常に希望を持って生きていくことも、私たちの人生の課題のひとつです。

【ひとり暮らし】　「親元にいるから結婚できない」「自分を変えられない」という人は、ひとり暮らしをしても同じです。「自分の力でなんとかする」「なんとかしてみせる」という決意がないからです。

環境を変えれば、自分が変わるかもしれない。結婚できるかもしれない。そう思うこと自体、依存であることに気づいてください。親から自立して自分の力を試したい、自分の責任で生きたいという心からの気持ちがあって初めて、ひとり暮らしは価値あるものになるのです。今までいかに自分が親に頼っていたかということに気づくことができるし、寂しさに耐える力もつきます。そうなったとき、自然に「結婚」という選択肢も現実のものになるでしょう。ひとり暮らしがしたいときは、その決心が本物か、それとも依存心なのか、よく見極めることが必要です。

【離婚と再婚】　一生、添いとげることだけに意味があるのではありません。大切なのは、相手から、あるいは結婚生活から何を学べたかということです。

目で見えるものや物質的なことで、物事の価値ははかれません。別れずに添いとげたからといって、その人のたましいが深く学べたかどうかはわからないのです。お金のため、子どものためと言い訳をしながら、壊れた結婚生活にしがみついて、殺伐とした人生を過ごすより、離婚して、新しい人生にチャレンジするほうが、ずっと成長できる場合もあります。もちろん、深く考えず、お手軽に離婚してしまう場合は、そこに学びはないでしょう。その場合は、次も同じことをくり返すことになります。それもまた経験です。3回結婚してもわからなかったことが、4回目にわかれば、それは価値あることなのです。目に見える現象だけで物事の価値は、はかれません。大切なのは、その人のたましいが何をどれだけ深く学べたか、ということです。

【キャリアか家庭か】 人にはそれぞれの個性、器があります。働くことが背伸びである人もいれば、家庭に入ることが背伸びになる人もいます。自分のたましいによく聞いて、自分に合った生き方をしてください。

生き方を選ぶときは、世間の価値観に惑わされないでください。専業主婦に向いている人もいれば、キャリアウーマンに向いている人もいます。どちらが優れているということではなく、個性の違いなのです。専業主婦に向いている人が、仕事と両立させようとしたり、キャリアウーマンに向いている人が家庭に入ったりすれば、ストレスで苦しむでしょう。仕事と家庭を割り切って考えられる人なら、どちらも頑張ればいいのです。自分のたましいの目的を知り、自分の生きる方針を決めて、それに合わせて素直に生きましょう。

【夢の形】　夢の形は、じつにさまざまです。仕事でかなえる夢もあれば、家庭でかなえる夢もあります。ひとつの夢に縛られる必要はないのです。

夢は自由なもの。心の底から楽しめるものです。その夢に、一番ふさわしいステージを選びましょう。会社で働いてもいいし、フリーで働いてもいい。結婚をしてもいいし、しなくてもいいのです。どの道を選んでも、それぞれに乗り越えるべき課題があります。その中で私たちのたましいは磨かれていきます。人の目を気にしたり、世間の声に惑わされたりする必要はありません。大切なのは、あなた自身が、心から幸せを感じられる夢であるかどうかです。

【子育てというボランティア】　子どもを産み、育てるということは、神様へのボランティア。この世に生まれてきたい、というたましいのために、体を貸してあげる、という行為です。

子育ては盲導犬を育てるボランティアと似ています。盲導犬になるための子犬は、生まれてから1年ほど、普通の家庭で育ててもらいます。その間に、基本的なしつけをし、たっぷりと愛情をかけて、人間への信頼を培うのです。人間の子どもも、産んで育てるのは、ある一定の年齢まで。その間に、親は一生分の愛情を注ぎ込んで、人間への愛と信頼を培うのです。親が子どもにしなくてはいけないのは、それだけです。子どもに過剰な期待をかけて自立を損なったり、「これだけしてやったんだから、老後の面倒を見てもらおう」などと考えたりしてはいけません。本来、子どもは神様からの預かりもの。決して親の私有物ではないのです。

【家族の温かさ】　家族のそばにいる。家族を気にかけたり、気にかけてもらったりする。ただそれだけで、ずいぶんと心のあり方が変わってきます。

なんとなく元気が出ないときこそ、家族を思い出しましょう。ひとり暮らしをしているなら、たまには実家に帰ってみてください。血のつながった家族でなくてもかまいません。家族のように思える親しい人と過ごすことです。一緒に食事をしたり、他愛のない話をしたりするだけでもかまいません。自分とつながる人たちの存在、互いに気にかけあい、いたわりあう相手の存在を確認することで、心の中の愛の電池は充電されます。それだけでも人は元気になれるのです。

【言霊の愛】　「行ってらっしゃい」「気をつけて」。そういう言葉に込められたエネルギーが、あなたの身を守ることもあるのです。

言葉にはエネルギーがあります。毎日、家族とかわす言葉はとても大切です。朝、お母さんの「おはよう」というあいさつを聞くことで、よどんでいた気持ちがスッキリした。「お帰りなさい」という言葉で、一日の疲れが吹き飛んだ。そんな経験は誰にでもあるでしょう。言葉のエネルギーをあなどらないでください。使い方しだいでは、言葉は人を傷つけます。そして、言葉が人を守ることもあるのです。

【愛を学ぶレッスン】　家族がこの世に存在する。この事実の中には、「他人は愛せなくても、とりあえず家族を愛するところから始めなさい」というスピリチュアルな意図があります。

人は家族の中で愛を学ぶと、しだいに家族という枠を離れて、他人を愛せるようになっていきます。まず家族以外の友だちができ、次に恋愛感情を抱く相手ができます。結婚すれば、相手の両親、きょうだい、親戚といった本来は他人である人々を、自分の家族として見るようになるでしょう。子どもができれば、近所の子どもでも自分の子のように愛せるようになったりします。人はまず血のつながりのある家族を愛することから愛を学びはじめ、しだいにレベルアップしながら、一生かけて愛を学び続けるのです。最終的には、全世界を家族同様に愛したマザー・テレサのような生き方が理想ですが、なかなかそこに至ることはできません。ですから、まず最初に血のつながった家族を与えられているのです。

【血のつながり】　血のつながりがあれば、損得抜きに愛することができます。あるいは、「愛さなくてはいけない」と思えます。家族という形があるのは、その中で愛を学びあうためなのです。

【現世の家族とたましいの家族】　現世の家族は仮想家族。別々のたましいが、それぞれ違う個性と課題を持って、現世に生まれてきているのです。

血がつながっていても、たましいは違います。現世の家族はそれぞれ別のグループ・ソウルから来ているのです。グループ・ソウルは、同じ課題を持つたましいの集合体。たましいの家族です。グループ・ソウルをひとつの国と考えると、現世の家族は、それぞれ違う国から来た人が同じアパートに暮らすようなもの。お互いにわかりあえない部分が多くて当然です。「わからないから」とそっぽを向いていては、国際交流は成り立ちません。たましいを成熟させることもできません。本来違うたましいの持ち主同士がわかりあい、愛しあおうとする中に、お互いの学びと成長があります。そのために、私たちは家族の中に生まれてくるのです。

【家族は命の協力者】　血のつながりのある現世の家族は、あなたがこの世に来ることに協力してくれた人々。あなたの命の協力者です。

グループ・ソウルは違っても、家族として生まれたからには、深い縁のある人たちです。とりわけ、あなたがこの世に誕生するに当たっては、限りない努力をしてくれた人たちです。母はお腹を痛め、父は母を物心両面でサポートし、兄や姉はあなたを歓迎してくれました。そんな深い縁のある人は、ほかにはいません。家族は、あなたという「命」が存在するための、「協力者」なのです。

その協力なくして、今ここに私たちはいないのです。

【自分で家族を選んで生まれてきた】

家族とは、互いに学びあうために、今、ここに集った人々。あなたは自分でその家族を選んで生まれてきたのです。

家族は、命の協力者にとどまりません。なぜこの家族がキャスティングされたのかにも、深い意味があります。私たちが生まれてくるのは、さまざまな経験を通して、たましいを成長させるためです。ですから、お互いに学びやすいメンバーが「家族」としてキャスティングされているのです。この世に偶然はありません。あなたの家族も、あなた自身が自らのたましいの成長に役立つようにと、自分で選んで生まれてきたのです。

【家族への甘えをなくす】

現世の家族は、かりそめのもの。あなたに何かをしてくれて当然、という立場の人々ではありません。

「親だから、きょうだいだから、何かしてくれて当然」「甘えさせてくれて当然」という考え方は子どものものです。ある程度成長したら、家族といえども、たましいは違うことに気づかなければいけません。血のつながらない他人に対するときと同じように、礼節と敬意を持ってつきあう必要があるのです。まして、あなたの命の誕生と存在に、このうえない協力をしてくれているのが家族です。それを意識すれば、自然に感謝の気持ちが生まれるでしょう。家族だからこそ、礼儀が必要なのです。

【家族という学校】

家族はそれぞれ、違う課題を持って生まれてきた他人です。けれど、課題を背負って、同じ学校に入ったという意味では、仲間です。

家族の構成員は、それぞれ別のたましいを持っています。何を学ぶために生まれてきたのかという課題が違うのです。けれど、同じ「家族」を選んで生まれてきたという意味では仲間です。同じ学校に入学した先輩後輩のようなもの。両親のいうことは、先輩のいうことだと思えば、今まで「うるさいな」と思っていたことでも、また違う響きで心に聞こえてくるはずです。ただし、両親は先輩以上の存在ではありません。子どもの人生の決定権を持つ人ではないのです。自分の生き方を決めるのは、自分です。先輩の意見は、真剣に耳を傾け、参考にするべきもの。その先は、自分の足で歩いていかなくてはいけません。

【家族を卒業するとき】　家族から何を学んで卒業するのか。愛を学ぶ人。許しを学ぶ人。家族に傷つき、家族を傷つけながら、それでも家族の意味を深く考えた人。そんな人が、最高の学びをして、最高に輝きながら、卒義式を迎えられるのです。

【新しい家族】　お互いへの依存心を捨て、相手から何を学べるか、じっくりと考えてみてください。実家で学んだことを生かせるかどうか、新しいチャレンジが始まったのです。

【嫁姑問題は依存心の表われ】　嫁姑問題が絶えないのは、自分が生まれた「家族」と同じ感覚で相手を見てしまうから。相手に何かしてもらうことばかり考えているからです。

結婚して、別の家族の一員になるということは、今までの学校を卒業して、留学するようなもの。前の学校が忘れられずに、同じような感覚でいるとうまくいきません。お姑さんは「娘になったくせに、私のいうことを聞かない」と思うし、お嫁さんは「実家の母は、私をもっと大事にしてくれた」と思う。それではうまくいくはずがありません。結婚によって新しくできた家族、そのメンバーを選んだのも、あなた自身です。あなたに必要な人たちが、周囲に集まっているということを忘れないでください。

【理想の家族】　最初から理想的な家族なんて、ありません。どの家族にも問題があります。それぞれの家族に課題があるのです。それこそが家族の意味なのです。

家族を愛することも、それほど簡単ではありません。だからこそ、学べるのです。自分が生まれた家庭環境、自分の親やきょうだいをいかに受け入れて愛していくか。それが私たちの課題なのです。

【愛を学ぶ道】 山を登る道がひとつではないように、愛を学ぶにもいろいろな道があります。

あまりにも家族を愛することが難しい場合、順序を変えて、他人から愛してみましょう。なかなか親を受け入れることができないときは、まず家族の外で人を愛するレッスンをするよう、カリキュラムが組まれていることもあるのです。家族以外の人間関係の中で、愛の電池を充電できれば、再び家族に戻って、親やきょうだいを愛することもできるようになります。最初から家族がいない場合、家族と生き別れになった場合は、「いない」ということから生じる熱い思いを学ぶことが課題です。いないからこそ、心の中で何倍も家族について考えるでしょう。せつない思いもするでしょう。それもまたその人にとって、愛を学ぶ道筋なのです。

【家族という課題】　家族がいない。いても愛せない。それはとても苦しいことです。でも、その苦しみの中に学びがあります。苦しむ自分を味わう。そして、愛について考える。愛せる人になっていく。そういう課題を私たち全員が持っているのです。

今は、家族をめぐる殺伐とした事件が頻発する時代です。私たちは、そういう時代をあえて選んで生まれてきました。家族愛とは何か、人間愛とは何かをより深く考える。私たちはみんな、そんな課題を背負っているのです。現代は、愛を深く学ばなくてはいけない人たちばかりが生まれてきている時代といえるでしょう。

Part 3

〈仕事、夢、お金の〝いい流れ〟をつくる好転箱〉

チャンスは偶然にはやってきません。呼び込むのです

【仕事の目的】　人は仕事をするために生まれてきたのではありません。たましいを磨き、学ぶために、生まれてきたのです。

仕事をするのは、お金のためでも、地位や名声のためでもありません。それらは、あとからついてくる「ごほうび」にすぎません。私たちが仕事をする本当の目的は、仕事を通してさまざまな経験を積むことで、たましいを磨き、成長させることなのです。仕事の中で悩み、苦しみ、努力する。そして、さまざまな喜怒哀楽を味わう。そのすべてが、たましいを磨く「感動」です。感動の積み重ねが、たましいを成熟させるのです。

【仕事というフィールド】　私たちは皆、感動するために生まれてきました。それを一番多く経験できるのが、「仕事」というフィールドです。

もちろん、会社で働くことだけが「仕事」ではありません。家庭に入って専業主婦になる人もいるでしょう。家事や子育ても立派な「仕事」です。そこで生じるさまざまな感動をじっくり味わってください。

【自分に合う仕事】　あきらめさえしなければ、人は必ず自分に一番合う仕事とめぐりあえるようにできています。

【人を大切にする】　仕事にはチャンスを呼び込む力と、きたチャンスを生かしきる力が必要です。そしてそのコツはただひとつ。出会った人を大切にすることです。

【仕事と人】　仕事は人で決まります。社内の上司、同僚、部下、そして取引の相手。どんな仕事でも、かかわる人との関係しだいでよくも悪くも変わってくるのです。

【縁を育てる】　常に相手のことを考えて、思いやりを持って接すれば、その縁はすくすくと育ちます。反対に、自分の利益だけを考えて、相手を利用しようとしたり、傷つけたりすれば、その縁は枯れていきます。

【チャンスがやってくる場所】　仕事のチャンスは、「本当の絆」を通してやってきます。

「チャンスが欲しいから、この人とつきあおう」と考えていては、縁の花は咲きません。「この人をどう利用できるだろうか」という打算的な目で相手を見ると、相手も同じ目であなたを見るからです。反対に、その人が素敵だから、尊敬できるから、つきあう。そんなふうに思っていると、相手もあなたの人間的な魅力にひかれてつきあうようになるでしょう。そのとき初めて縁はすくすく育ち、2人の間に本当の絆が生まれます。2人でいい仕事ができるようにもなるのです。

【出会う人はすべて神様】　出会う人はすべて神様。毎朝、口に出してそういってみましょう。そうすれば、仕事運は引き寄せられます。自然にチャンスが転がり込んでくるのです。

人とのかかわりをおろそかにして、いい仕事はできません。どんな人も、あなたに何かを教えてくれる大切な人。出会う人はすべて神様なのです。

【聖域を守る】　仕事の人間関係をうまくこなすには、自分の内面を見せる相手と、見せない相手を、しっかり区別すること。「素の自分」という聖域を守り、ビジネスの場では鎧《よろい》をつけることも必要です。

仕事の人間関係の中には、どうしても苦手な人もいるでしょう。そんな相手に素のままの自分を見せていると疲れます。仕事自体が嫌になってしまう前に、ビジネスライクに割り切ることが大切です。「仕事のときは、この自分でいく」と覚悟を決めましょう。そのかわり、素のままの自分を見せられる、プライベートな関係を充実させることも忘れずに。仕事で苦手な人と会うときは、丹田（おへその下あたりにあるツボ）に、フッと蓋をするイメージを描いてください。丹田は、たましいと肉体を結びつける重要な場所。ここに蓋をすることで、自分のたましいを封印し、守ることができるのです。

【仕事の評価】　人生には、いいときもあれば悪いときもあります。両方を経験すると、人の評価が気にならなくなります。人はじつに無責任にあれこれいうものだ、ということがわかるからです。

人の評価はしょせん人の評価。自分のくだす評価とは無関係です。不遇なとき、不幸なときを経験すればこそ、それが実感できるようになります。人の言葉に一喜一憂してしまうときは、まだ苦労が足りないのだな、と考えてください。

【自分を評価する】 人の評価に傷つけられたり、喜んだりしながら、少しずつ自分自身の評価を重視できるようになっていく。その過程の学びが大切なのです。

【人の噂】 人からの評価や噂は、貴重なメッセージ。一喜一憂すべきものでも、無視すべきものでもありません。冷静に耳を貸すべきものなのです。

人からの評価や噂の中には、「そろそろ自分の間違いや欠点に気づきなさい」というスピリチュアル・ワールドからのメッセージが含まれている場合もあります。クヨクヨと気に病む必要はありませんが、かといって無視すると、貴重なメッセージを受け取り損ねます。評価や噂は冷静に受けとめましょう。

【評価される人】 「評価してほしい」と思っているときほど、評価はしてもらえないものです。評価される人には共通点があります。どれだけ自分以外の人のために役に立てるか、それを常に意識しながら仕事をしていることです。

自分の評価のことを考えて仕事をしても、評価はされません。自分以外の人のことを考えた仕事ができたとき、評価という結果がついてくるのです。

【仕事を味わう】

どんな結果が出ても、常に冷静に自分を見つめることが大切です。結果に一喜一憂するよりも、そのときどきに味わえる体験を十分に味わいましょう。

仕事でどういう結果が出れば幸福か、ということをよく考えてください。たとえば、企画が通ればうれしい。けれど、その結果がイコール幸せということではありません。今度はそれを実現するために、苦労が始まります。さらなる苦難を乗り越えていくスタートラインに立っただけのことです。また、企画が通らないことイコール不幸でもありません。通らなければ、なぜ通らなかったのかと考えたり、仕事をする意味を考え直したりできます。忍耐力を身につけることもできます。どんな結果が出ても、それぞれの過程で味わえることをたっぷりと味わってください。それこそが幸せです。そんな体験を重ねるために、私たちは生まれてきたのです。

【成果を出したいとき】　仕事でいい結果を出すためには、あなた自身がポジティブで高い波長を出していることが絶対に必要です。そして、そういう波長は、「この仕事がやりたい」「やりこなしたい」と願う熱意から生まれてくるのです。

ここでいう熱意とは、「ともかく数字を出したい」「ともかく取引を成功させたい」という熱意とは少し違います。「お客さまに少しでも貢献したい」「喜んでいただきたい」という熱意こそが大切なのです。

【人を好きになる】　仕事は、人を相手にするもの。どんな仕事も、人を抜きにして成功はありません。ですから、人への興味関心は常に失わずにいてください。そして、できれば相手を好きになりましょう。

【人を見抜く】　人を判断するときに、言葉に頼ってはいけません。言葉は、ケースバイケースでいくらでも変わります。言葉そのものではなく、相手がどういうつもりでその言葉を発しているのか、感覚でとらえるセンスが必要なのです。

【真実の姿を見る】　自分の欲を捨てて、感覚をとぎすまし、相手の行動をじっと見つめましょう。そのとき、あなたの心のスクリーンに、相手の真実が映し出されるのです。

【仕事の結果】　もし力がまだ足りなくて、結果が出なかったとしても、それは受け入れるしかありません。受け入れて、また力をつけて、もう一度挑戦すればいいのです。

働くということは、人に尽くすこと。サービスをすること。その対価としてお金をいただくことです。人にほめられたり、評価されたりするために働くのではありません。自分の持っている最大限の力を使って、どこまでできるか。それに挑戦しましょう。結果はそのあとからついてくるものです。

【成功を喜べないとき】

人が仕事をするのは、評価されるためでも、不安から逃れるためでもありません。自分が幸せになるためなのです。自分が幸せになって初めて、人を幸せにする、本当にいい仕事ができるようになるのです。

仕事の成果が出て、人に評価されていても、素直に喜べないというとき、不安で仕方がないというとき、そこには必ず何か理由があります。評価だけを求めて仕事をしていたり、何かのコンプレックスを埋めあわせたりするために、がむしゃらに働いていたり。そんなときは、自分自身をよく見つめてください。自分の課題が見えてくるはずです。それを乗り越えると心に決めましょう。私たちは評価されるために生まれてきたのではありません。自分の課題を克服し、たましいを磨くために生まれてきたのです。

【努力と実力】

努力したという事実は残ります。それは見えない実力として、あなたの中にしっかり蓄えられているのです。

たとえ結果がよくなかったとしても、もし本気で努力して取り組んだなら、次のチャンスは必ずきます。実力がついているからです。

【後悔と反省】　仕事で失敗をしたとき、大切なのは後悔ではなく、反省です。なぜ失敗したのか、という分析が大切なのです。

【次の成功を求めて】　失敗は成功のもと。一度の失敗を悔やむことはありません。そこでテンションを落としてしまわずに、「そういうこともあるさ」と考えましょう。「次は成功するぞ」と、気合を入れ直して頑張ればいいのです。

【人間関係能力】　人間関係の能力も、仕事の実力のうちです。

どんな仕事でも、嫌な相手と組むことはあるし、仕事以外の場でのつきあいもあります。そういったことも含めて仕事なのです。たとえば見る目のない上司についたとき、その上司に「自分は必要な人間だ」ということをアピールする努力も必要なのです。実際の仕事の実力と人間関係能力、そのトータルバランスがとれている人は、必ずいい仕事ができます。

【リストラの不安】　「私は何も不安に思わないような仕事の仕方をしよう」と心

に決めてください。「これだけやってリストラされるなら仕方ない。喜んでリストラされましょう」と思える仕事をすること。常にそれぐらいの覚悟を持って仕事をすることです。

常にその覚悟で仕事をしていれば、リストラされることはまずありません。会社にとって、「必要な人材」になれるからです。万一、会社の一方的な事情でリストラされたとしても、次の仕事がすぐに決まります。そういう人は、どんな職場でも、必要とされるからです。不安な思いがわき起こるのは、「本当の力をつける時期ですよ」というスピリチュアル・ワールドからのメッセージなのです。

【人間関係の極意】　相手に「気を遣う」のではなく、「気を利かせる」ということ。これは、仕事だけでなく、すべての人間関係の極意です。

「気を遣う」とは、無駄にエネルギーをバラまくこと。「気を利かせる」とは、相手が何を望んでいるかを察して、そのツボを的確に押してあげることです。「気を遣う人」は、じつは自分がどう思われるかを気にして、ビクビクしているだけのことが多いものです。それでは相手は負担に思い、疲れてしまうでしょう。「気が利く人」は、相手が今、何を望んでいるかを敏感にキャッチして、それに応える努力をしています。自分を中心に考えているか、相手を中心に考えているかの違いです。

【観察眼】　気を利かせるには、観察眼が必要です。何をすればこの人は喜ぶのか、何をいえばプライドが傷ついて怒るのか、相手をよく観察して、理解する力が必要なのです。

【心を配る】　気を利かせることと同時に気配りも必要です。気配りとは、エネルギーを配ること。「私はあなたのことをちゃんと考えていますよ」と相手にわかるように、行動で知らせることです。

たとえば相手が何か困っていれば、「自分にできることはありませんか」と声をかける。自分にわかることなら、すぐに教えてあげる。気配りとは、相手に自分の心を配ることです。すると、今度あなたが困ったときは、必ず手助けしてもらえるでしょう。職場の中で孤立している、同僚とうまくいかない、と感じている人は、そういう気配りができていたかどうか振り返ってみてください。少し心を配るだけで、人との関係は簡単に変わります。変わらないと決めつけずに、「心を配る」練習を明日からしてみましょう。

【やる気が出ないとき】 無理して仕事をすれば、いい結果が出るというものではありません。やる気をなくしたときは、休むのが一番です。

どうしてもやる気が出ないとき、それは「今はその時期ではない」と足止めをされているのです。今はガンガン仕事をする時期ではなく、知識を養う時期、休養をとるべき時期なのです。そうして待っているうちに、必ずやるべき時期がきます。今の仕事が自分に合っているかどうかもはっきりします。あわてたり焦ったりするのは逆効果。心身を休めて、のんびり時期を待ちましょう。

【嫌いな上司】 嫌いな相手から学ぶべきことがわかると、不思議と自分か相手かが異動になったり、距離をとれるような出来事が起こったりします。嫌い続けているだけで、その意味を知ろうとしなければ、いつまでも一緒です。

すべての出会いは必然です。不必要な縁はありません。波長の法則で、似た人を引き寄せたり、逆に自分に足りないものを持っている人を呼び寄せたりして、出会うのです。嫌いな上司をただ嫌うのではなく、自分がなぜその人と出会ったのかを考えましょう。自分が傲慢だったからか、はっきりものがいえない人間だからか、などと、考えてみるのです。出会った意味がわかったとき、あなたはすでにその問題を乗り越えているのです。

【自分を育てる】　尊敬できる人に「導いてほしい」という気持ちは捨てましょう。「自分は自分で育てる」という、自立して取り組む構えが必要です。

【自立心と謙虚さ】　自立心と謙虚さを持って、高い波長で仕事をしていると、必要な人と出会えます。自分の足りなかった点、克服しなければならない点を、上手に教え、導いてくれる人とめぐりあえるのです。

【目標となる人】　目標となる人は、自然に出会うものではなく、自分でつくるものです。どんな人にでも何かひとつは必ず長所があります。それを見つけて、そこから学ぼうとすれば、まわりの人はみんな師匠。目標にすべきあこがれの人なのです。

【自分をアピールする】　面接のときや仕事の場で自分を表現するのは、相手のためです。相手があなたをより理解しやすいように、自分に関する情報を提供してあげましょう。焦らず、ゆっくりと話せばいいのです。

自分をアピールするのは、自分を誇大広告することではありません。自分に関する正しい情報を相手に伝えることです。何もいわないのは、じつは「不親切」なこと。勇気を出して、自分をアピールしてみましょう。自分のためではありません。相手のためです。そう思えば、こわばった頬の緊張がとけ、自然な笑みが浮かぶはずです。

【仕事運を上げる4つの言葉】　言葉にはたましいが宿ります。言霊というエネルギーがあるのです。特に大切なのは、「ありがとう」という感謝の言葉、「うれしい」という喜びの言葉、「大好き」という愛の言葉、「素敵ね」というほめ言葉です。

仕事仲間との人間関係をスムーズにこなすには、ここに挙げた4つのポジティブな言葉の力を借りましょう。もちろん、さまざまなバリエーションがあるでしょう。豊かな言葉を使える人は、それだけ豊かな人間関係を築ける人です。また、元気な声であいさつすることも大切です。「おはよう」「こんにちは」「お疲れさま」。そういうあいさつを笑顔とともに投げかけることで、人との関係が変わるのです。

【声のパワー】 人の第一印象を決定づけるのは、声です。大きな声、明るい声を聞くと、心が浮き立ちます。元気のいい声は、聞く人にとてもいい印象を与えるのです。

新しい環境に入ったときは、第一声のあいさつが大切です、とりわけ「声」を意識してください。萎縮《いしゅく》していると感じるときほど、快活に、明瞭《めいりょう》な声を出しましょう。声を出しやすくするには、腹式呼吸が効果的です。まず足を肩幅程度に広げ、鼻から息をゆっくりと吸って、グッと横隔膜で支えます。空気が体全体にいきわたるのをイメージしたら、次は口からフーッと細く長く吐き出します。これを毎朝続けると、腹筋が鍛えられて声の出がよくなります。声の持つパワーを存分に発揮できるようになるのです。

【顔の印象】

人間の顔は、その人の心、人格を表わします。造作がととのっているかどうかは問題ではありません。明るい表情、幸せそうな笑顔、元気のいい顔色。そういうものから、人はいい印象を受け取るのです。

【第二印象】

第一印象はよかったけれど、しだいに関係が悪くなったというとき。そのときが本当のスタートです。そこでつきあいをやめるのではなく、そこから運命を切り開いていかなくてはいけません。

第一印象がよかった人と、しだいにギクシャクしてきたとき、それは互いのメッキがはがれてきたということ。そこでつきあいをやめてしまうと、深く学べません。第二印象をよくする努力、第三印象をよくする努力を続けましょう。

そこに学びと成長があります。

【力を尽くす】　仕事をするうえで大切なのは、「自信」があるかないかではなく、自分の持つ力をどれだけ尽くせるかです。なぜなら、仕事をするということは、自分の最大限の能力を捧げる、ということだからです。

自分の能力を提供して、対価をいただく。それが仕事です。自信があるとかないとかを考えるよりも先に、ただひたすら、自分の能力で、どこまで相手に喜んでもらえるか、そのことを考えたほうがいいのです。

【仕事と恋愛】　仕事は恋愛と似ています。誰かを愛するときに、自信があるかないかは考えません。ただひたすら相手のことを思い、尽くすでしょう。仕事もそれと同じなのです。

相手のことを考えれば「自信がない」と悩んでいるヒマなどありません。悩むのは、じつは相手ではなく、自分のことしか考えていないからです。人の評価を求めているからなのです。それでは、仕事もうまくいきません。いたずらに不安に思うのではなく、どれだけ力を尽くせるか、それを考えましょう。

【チャンス】 チャンスがきたということは、「あなたにはそれができる力がある」ということです。

チャンスがきたとき、「もしダメだったらどうしよう」「できないかもしれない」と不安に思う必要はありません。あなたにはできるから、チャンスがきたのです。この世に偶然はありません。間違ってくるチャンスなどないのです。もしできなかったとしても、もう一度チャレンジすればいいだけのこと。そこから学んで、前に進めばいいだけなのです。

【時期を待つ】 たとえ待たされても、そのとき悔やんではいけません。あとになれば、きっと悔やまずにすみます。なぜ待たされたのか、意味がわかるようになるはずです。

進めていいことなら、必ずトントン拍子に進みます。進めていけないときは、障害が生じて、うまく進みません。それはある意味、「恩寵《おんちょう》」なのです。今それをしてしまうと、大失敗をしてしまうことになる。そんなときに障害が現われるのです。最大限の努力をしたなら、あとは天命に逆らわないこと。必ず時期はきます。

【知識と経験】　知識は大切です。けれど、それだけでは宝の持ちぐされ。大切なのは、経験であり、感動です。経験で培った知恵があり、感動で得られるたましいの成長があってこそ、知識が生きるのです。

知性的な人が魅力的なのは、知識という宝石で身を飾っているからです。もちろん、たましいに輝きがなければ、どんな知識もただの石ころにしか見えません。たましいの輝きにプラスして知識があるほうがいいということです。

【役立つ経験とは】　私たちは知識を得るために生まれてきたわけではありません。たましいをより豊かに成熟させるために生まれてきました。そういう視点で知識や情報と向きあうとき、それは初めてたましいの輝きに役立つ経験になるのです。

【人の中へ】　経験や感動を与えてくれるのは、人です。あなたをほめてくれる人、けなしてくれる人、あなたのために喜んでくれる人、泣いてくれる人。そういう人とのかかわりの中で得られる感動こそが、私たちのたましいを磨きます。

いい仕事をしたい。自分を高めたい。そう思うなら、人の中に飛び込んでいきましょう。何も恐れる必要はありません。私たちはいつも見守られている存在です。たとえ傷ついても、それはたましいが削られただけ。いっそう輝くようになれたということなのです。

【天職と適職】　天職とは、自分のたましいのための仕事です。たとえお金にならなくても、それが好きで仕方がなくて、人にも喜んでもらえる仕事のことです。適職とは、自分の頭脳や肉体を使って、お金を稼げる仕事のこと。現世で生きていくための手段です。

「適職」だけだと、お金は得ても、たましいが満足しません。喜びのない寂しい生活になってしまうでしょう。一方、「天職」だけだと、喜びはあっても、食べていくためのお金は得られません。やがてはたましいの喜びも枯れていくでしのなのです。つまり「天職」と「適職」は、どちらも欠かせない車の両輪のようなものなのです。

【天職と適職のバランス】

天職と適職は車の両輪。両方に同じ比重がかかっていれば、前に進むことができますが、どちらかが少ないと、人生を快適にドライブすることはできません。

人生を前向きに生きるためには、天職と適職に同じ比重をかけることが必要です。天職だけに夢中になったり、逆に天職を持たず、淡々と適職だけをこなしたりしていると、自分を守りきれなくなります。2つのバランスを上手にとれるよう、工夫してみてください。

【仕事を分ける】

経済の適職。喜びの天職。この2つは分かれるのが普通です。適職の中に天職のエッセンスをまぜようとすると苦しくなってしまいます。

適職と天職を同じにしたいと願って、転職をくり返す人が多いのですが、この2つは基本的に別ものです。同じにしたいと思うのは、お金を得るための適職が苦労ばかりでつまらなく思えるからでしょう。その苦労はあって当然なのですが、そう割り切れずに適職をやめ、天職だけにして、結果、食べていけなくて路頭に迷うことになっては元も子もありません。適職の苦労をよく分析して、それを乗り越える方法をまず探しましょう。同時に、適職とは別の天職を充実させることも絶対に必要です。適職だけでは、たましいの喜びが枯れてしまうからです。喜びが枯れると、仕事への不満が増大します。この悪循環を断ち切るためにも、天職が必要なのです。

【理想と現実】　すべての仕事において、理想と現実の間には壁があります。仕事をする人はみんな、常にその壁と戦わなければなりません。その壁を乗り越えるための苦しみは、自分自身のたましいを磨くための学びであり、必要なものなのです。

仕事の中で理想と現実の違いを見せつけられると「こんなはずじゃなかった」という気持ちになるでしょう。けれど、その悩みを解決しようと努力することも大切な学びです。また、そんなときこそ「天職」を別に見つけて、そこで理想を求めればいいのです。「天職」で喜びが得られ、肩の力が抜けると「適職」

としての仕事も、スムーズにいくようになります。理想と現実の壁が、以前よりも低く感じられるようになるはずです。

【適職を探すには】　適職＝自分に向いた仕事を探すには、生きがいや使命感はひとまず脇に置いて、自分の「技能」だけを客観的に見る目が必要です。そのためには、自分自身がよくわかっていないといけません。

自分が生きていくためのお金を稼ぐ仕事を選ぶときは、自分を冷静に見つめてください。何が得意で、何が不得意か。できることは何で、できないことは何か。つまり、自分が持って生まれたたましいの性質を見極める必要があるのです。過去の自分を振り返ったり、ためしにさまざまなアルバイトを経験したりすることで、適職を見つけることができるでしょう。

【たましいの力】　世間体がいい仕事をしていても、それが自分のたましいの性質に向いていなければ、生きるエネルギーはわいてきません。本当の意味での幸せを手に入れられるのは、世間の評価に惑わされず、自分の心の声に正直に生きられる人。たましいに力のある人なのです。

仕事を選ぶときは、人からどう見えるか、ではなく、自分に合っているかどうかが大切なのです。まずは曇りのない目で、自分の持って生まれた資質を素直に見つめましょう。そして、たとえカッコ悪くてもいい、私はこの技能だけは人に負けない、と思える仕事を「適職」として選んでください。

【適職の喜び】　働いて、お金を稼がせてもらえる。それは、何でもないことのように見えて、じつはとても幸せなことです。その幸せは、仕事を失って初めて身にしみてわかるものなのです。

適職に不平や不満を感じる人が多いのですが、謙虚にその職場で働ける幸せをかみしめてください。「ここで働けてありがたい」と心から思えるようになると、毎日が変わってきます。どんな仕事でも、喜びや楽しさが感じられるようになるのです。

【適職というダンベル】　適職は、たましいを鍛えるための訓練の場。重いダンベルで筋肉を鍛えるのと同じ、たましいを鍛えるためのダンベルなのです。

適職は、食べていくために必要な仕事ですが、それだけでなく、たましいを磨き、向上させるために、絶対に必要なものでもあります。そこで大切な学びと気づきが得られたとき、適職の中にもまた喜びが芽生えてくるのです。

【あなたの職場】　職場は、あなたが生きるために必要な大切な場所。たくさんの気づきと感動を与えてくれる、素敵なフィールドなのです。

楽しく、ポジティブに仕事をしたいと思うなら、まずあなたが笑顔で職場に行きましょう。心にゆとりを持って、おおらかな気持ちで職場の仲間と接してください。ひとりが笑顔でいると、波長の法則でみんなが笑顔になります。いい人間関係は、あなたの笑顔から始まるのです。

【天職を探すには】　自分ができることの中で、人の役に立つこと、それが天職になります。大好きなことを、「人のために」してみてはどうでしょう。自分だけの楽しみ（小我）から始まって、人の役に立つもの（大我）が見えてきたとき、それが「天職」になる可能性が高いのです。

【大我と小我】　「大我」とは、個人の狭い立場を離れた、自由自在な心のあり方を指します。宇宙の真理や、神の意志のことだと考えてください。「小我」とは、個人的な欲望にとらわれた心のあり方です。自分を中心とした利己的、物質的な考え方を指します。「適職」とは小我にもとづくものであり、「天職」とは大我にもとづくものです。

大我にもとづく天職のほうが崇高ですばらしい、というわけではありません。私たちには、天職と適職、両方が必要なのです。

【神我】　どんな人の心の中にも、真・善・美を求める心があります。それを「神我」といいます。だからこそ、人は美しい風景を見て感動したり、真実を描いた小説や映画に涙したり、善なる行為を賞賛したりするのです。

【たましいの喜び】　「仕事で人の役に立ちたい」という思いもまた、万人が抱いている思いです。他人のために尽くす、人に喜んでもらう、ということが、じつはたましいの大きな喜びになるからです。自分を喜ばせるためには、人を喜ばせればいいのです。

【適職の中にある大我】　適職という「小我」の中でも「大我」を失ってはいけません。どんな場合でも、自分の立場だけでものを考えていては、出世も成功も幸福も望めないのです。これは「きれいごと」ではありません。事実なのです。

適職はお金を稼ぐための仕事。そう割り切って、小我的、利己的な行動に走ると必ずつまずきます。人の役に立とう、真・善・美を追求しようという夢を一切持たずに、利益や名誉を追い求めすぎると、どこかに無理が生まれるからです。

【仕事で幸せになるコツ】　適職の中でも天職の中でも、必ず「大我」に着目しましょう。どうすれば大我的な行動をとれるのか、どうすれば大我的な夢を抱き、それを実現することができるのか。そこに焦点を当ててください。

どんな仕事にも絶対に必要なのは、人のために、より大きな世界のために、自分と自分の仕事がいかに役立てるか、という視点です。その目標に向かっているとき、人が道に迷うことはありません。「仕事で幸せになる」コツは、ここにあります。

【自分らしさを生かす】 どんなことでも、工夫しだいで天職になります。「オンリーワン」であるあなたらしさを生かすことこそが、天職への近道です。

【適職の中にある天職】 適職の中にも、探せば必ず天職はあります。

天職と適職は、切り離して考えるのが基本です。けれど、天職探しの第一ステップとして、適職の中に天職はないか探してみましょう。お金を稼ぐための仕事の中に、人に喜んでもらえることはないかと考えてみてください。自分の得意なこと、好きなことの中に、必ずそれはあるはずです。

【天職は必ずある】 適職とはまったく異なる天職。あるいは、適職の中にある天職。どちらでもかまいません。探せば必ず見つかります。今まで見つからなかったのは、探そうとしなかったから。ただそれだけなのです。

【クリエイティブな仕事】　「クリエイティブな仕事」とは、誰かが与えてくれるものではありません。自分で「仕事をつくる」覚悟で探すものです。その仕事があなたに向いていて、実力が周囲に評価されれば、しだいに適職として身についていくでしょう。

【仕事の基本】　仕事は相手がなければできません。どれぐらい相手のことを思えるか、その点が重要なのです。

天職の場合は、「相手のたましいが喜ぶこと」をすればいいのです。それが自分のたましいの喜びにつながります。一方、適職の場合は「この仕事で、会社や社会がどう喜ぶか」ということを考える必要があります。

【笑顔の力】　いつも笑顔でいられる強くてやさしい人のところに、仕事も幸せも集まります。外見は、関係ないのです。

どんな困難なときも、いつも笑顔でいる努力を続けていると、自然に輝きが出てきます。すると、周囲に人が集まります。仕事がうまく回りはじめます。反対に、「私は自分に自信がない」と思ってうつむいていると、顔がくすんできます。すると、人が離れていって、仕事もいきづまってくるでしょう。いつも笑顔でいるにはパワーが必要です。そのパワーに引き寄せられて、人は集まってくるのです。

【会社の厳しさ】　会社が利益を生み、生き残っていくのは本当に厳しいこと。その厳しさを知ったうえで、自分の働き方を決められる人が、大人です。そういう大人の感性を持った人こそが、仕事で幸せになれるのです。

【挑戦としての転職】　自分の心が「これは逃げだ」と思ったら、今の仕事に踏みとどまりましょう。「前向きな挑戦だ」と思うなら、前に進みましょう。

いい転職をするには、なぜ自分は転職したいのかを自分の心に問いかけてください。逃げたい気持ちが強いときは、自分にとっては悪い時期。いい会社も見つからないので、転職をくり返すことになりがちです。反対に、今の職場に満足しているけれど、新しいところで勝負をしてみたいというときは、いい時期です。いい転職ができるでしょう。「嫌だな」と思ったときに、すぐ転職するのは失敗のもと。乗り越える努力をしながら、時期を待ち、運気が変わったところで動くようにしてください。ごまかさず、深く自分を見つめて、前向きな気持ちでいることを確認できたら、それがチャレンジのときです。

【転職の結果】　判断が正しかったか、間違っていたかは、転職したあとでわかります。言葉でどんなにいいつくろっても、結果がすべてを物語るのです。

自分にできる努力を全部して、それでもダメだったからやめたという場合、次の職場では、いい上司や望みの職種につくことができます。苦労した経験が身になって、あなた自身が大きく成長しているからです。それは、頑張ったことに対する運命のごほうびのようなもの。反対に、また同じことのくり返しになったのであれば、前の職場での努力が足りなかったということ。同じ苦労をして、今度こそ克服しなくてはいけないということです。

【悩みの本質】 大切なものを失ってしまう前に、悩みの本質をきちんと見極めましょう。それが仕事の質を高めることにつながります。

仕事をやめたいと思うとき、仕事そのものが嫌なのか、それともそれ以外に理由があるのかをはっきりさせることが大切です。たとえば自分のマネジメント力のなさが原因で、正当な評価と対価がもらえず、苦しみが生まれているケースもあるでしょう。それなら仕事そのものをやめる前に、いいクライアントを選び、スケジュールを修正すればいいのです。やめるという大きな行動を起こす前に、ぜひ「なぜやめたいのか」を正しく見極めてください。理由しだいでは、やめずにすむ方法がいくらでもあるはずです。

【ライバル】 ライバル心を持つのは悪いことではありません。お互いに切磋《せっさ》琢磨《たくま》できる相手は大切にしてください。ライバルは自分を高めてくれる存在なのです。

業績などの勝敗にこだわっていると、本当のライバルにはなれません。結果ではなく、相手の努力を見てください。そして「あの人が頑張るなら、自分も頑張ろう」というように、相手の存在が自分の励みになるよう心がけましょう。そういう努力は必ず報われます。嫉妬というマイナスのエネルギーで心をすり減らすのは無駄なこと。お互いに実力があって、刺激しあえる関係なら、二人とも必ずいいポジションにいけるのです。

【自分への信頼】　人に信頼されたいと思うなら、まず自分で自分を信頼しましょう。

自分を信頼していない人が、人に信頼されるはずがありません。まずは、自分を信じましょう。私には悪いところもあるけれど、いいところはその何倍もある。この点だけは、絶対に誰にも負けない。そういうところを探しましょう。自分で自分のサポーターになってください。

【失敗を成仏させる】　仕事で失敗したとき、いつまでもとらわれてはいられません。仕事の失敗は、自分の力で「成仏させる」しかないのです。

【次なるチャンス】　失敗したとき、それは、「次のチャンスがきていますよ」というメッセージでもあります。そのときに備えて実力を蓄える時期だと考えましょう。

【トラブル】　仕事をしていると、叱られたり、理不尽に怒られたりすることが何度もあります。その一つひとつが大切な学び。そういう経験があるからこそ、私たちは優れた観察眼や洞察力を身につけることができます。トラブルこそが、私たちを成長させてくれるのです。

【仕事のアイデア】　今よりもっとおもしろいもの、新鮮なもの、役に立つものはないか。効率を上げる方法はないか。そんなふうに、常に「今あるもの」以上を求める気持ちが「アイデア」に結びつき、仕事の質をアップさせます。

【内なる声】　アイデアが欲しいとき、最も大切なのは「静寂」です。インスピレーションは、外から与えられるのではなく、自分の内側に静かに目を向けたときに訪れるものだからです。自分の「内なる声」に耳をすましてください。

ただし、まったく何の土台もないところから、突然わき出るアイデアはありません。アンテナをとぎすまし、必要な情報やデータを蓄えたうえで、静寂の中に身を置きましょう。あなたが求める分野に秀でたガイド・スピリットとプラグがつながり、アイデアが必ずひらめきます。

【リセットする】　集中力のない人は、いつも何かをこまぎれに考えています。一度、すべての雑念を取り払って、頭の中をからっぽにしてください。雑念でいっぱいの頭を一度リセットするのです。リセットするクセをつければ、集中力はアップします。

【直感力】　直感とは、自分の内なる声のこと。直感力の豊かな人とは、本当の自分の心の声が聞こえている人のことです。その声が聞こえていれば、間違った方向に進むことはまずありません。

何かを決めるとき、いつも自分が好きか嫌いかを意識して行動しましょう。その直感で決めた結果がたとえ悪くても、「それはそれでよかった」と前向きに考えてください。自分の直感を理性で分析することも忘れずに。そうすれば直感力は磨かれていきます。

【営業力】　営業力は、いろいろな力の総合力です。企画力、集中力、判断力、直感力、忍耐力、その他さまざまな力が集まったとき、ものが「売れる」のです。

【福の神】　営業力を身につけるポイントは、たったひとつ。福のある人間になる、ということです。福とは、幸福の福、「福の神」の福です。

幸せそうな人、親しみやすい笑顔の人から、人はものを買いたくなります。人をひきつけ、幸せな気分にさせる笑顔こそ、営業マンの最大の武器なのです。

【危機管理能力】　まず、リスクの予兆に敏感になること。次に、緻密にリスクを計算し、修正すること。そして慎重かつ大胆に歩を進めること。それが危機管理能力の高い人の行動原則です。

これは一朝一夕にはできません。何回か失敗し、経験を重ねて、初めてわかってくることです。ですから、失敗を恐れないでください。何か失敗したときは、被害を最小限にくいとめる努力をしつつ、そこから何かを学び取ろうとしてください。必要以上に落ち込んでしまうと、それができなくなってしまいます。失敗こそ、私たちを磨いてくれる大切な経験です。つらい失敗、悔しい経験をくり返すうちに、たましいが磨かれます。そのとき、危機管理能力も自然に身についてくるのです。

【人の上に立つ】　あなたに「母の愛」が欠如しているとき、あなたは部下に泣かされます。人の上に立つ人は、男性でも女性でも「母」になることが必要なのです。

母親は、子どもがイタズラをしたときは叱り、失敗したときは慰めて、いつも子どもの成長だけを願っています。上司として人の上に立つとき、何より必要なのは、この母の愛です。

【上司の心得】　あなたの部下は、あなたの仕事をするために生まれてきたのではありません。

人はみんな、たましいを磨くために現世に生まれてきています。私たちはみんな、上司も部下も関係なく、未熟な存在です。未熟な人間が、仕事を通して人とかかわり、成長しようとしているのです。その視点を忘れないでください。

【リーダーの条件】　「なぜ今、この仕事をしているのか」「この仕事をすることで、何が学べるのか」。それを教えてあげるのが、親の愛です。上司にはこの愛が必要です。

リーダーは、下で働く人たちの人生をも考えなければいけません。つまり、人の親になるぐらいの気持ちがないと、いいリーダー、いい上司にはなれないのです。親であれば、子どもの人生全体を考えるでしょう。子どもの人生に、いったい何が足りないのか、観察し、理解して、助言するはずです。リーダーも同じです。目の前の仕事ができるかできないか、ということだけにとらわれないでください。親の立場になって、「あなたの人生を伸ばすには、この部分が足りない。それが仕事にも反映されているのかもしれないよ」ということが語れなければいけないのです。

【「使える」部下】　自分の部下は「使えない」と愚痴をこぼす人をよく見てください。そういう人が本当の意味で「使える」ことはまずないでしょう。出会う人はすべて自分の鏡。周囲の人々を使えなくしているのは、その人自身なのです。

【独立すること】　上司になること、親になること、独立すること。この3つをこなすと、人間は大きく成長できます。どれも「ままならないこと」だからです。

【仕事とボランティア】　誰かの役に立ちたいと思う気持ち。自分なりに世の中に参加したいという気持ち。それを大切にしてください。じつはそれは、仕事をするうえでも大切な感覚です。

ボランティア活動を始めて、それが天職になった人もたくさんいます。報酬はなくても、喜びがあるからです。ボランティアをしたいという気持ちが起こるのは、心の中の愛の電池がかなり充電されている証拠。愛の電池がたまると、心の奥底に隠れていた「神我」が現われてくるのです。この世のたましいのすべてを平等に愛し、その幸せだけを願うのが神です。どんな人の心の奥にも、神が住んでいます。それを神我といいます。愛の電池がたまると、その神が姿を現わします。電池が足りないと、ためることに精一杯で、なかなか神我までたどりつけません。人が優れた仕事をなしとげるとき、必ずどこかでこの神我の発露があります。「人のために」という気持ちがまったくない仕事は、いい成果を出せないのです。一瞬は成果が出たように見えても、長続きはしないでしょう。その意味でも、ボランティアの精神は、仕事人が必ず持っておくべきもののひとつです。

【休息をとる】 休みを曖昧《あいまい》にしてはいけません。「今日は体を休める日」「今日は心を休める日」と目的をはっきり決めて、ゆっくり休む。時間の流れにメリハリをつけましょう。それが仕事に忙殺されないためのポイントです。

【自分で時間をつくる】　本当に自分にとって必要なこと、大切なことのためなら、時間は必ずつくれます。そのためにも、あなた自身が時間の主人になってください。ほかの誰でもない、あなたの時間です。自由に決めて、自由に使っていいのです。

「時間がない」というのは、言い訳にすぎません。つくろうと思えば、必ず時間はつくれます。主体的に自分の時間をスケジューリングしようと決めたとたんに、時間の流れが驚くほど変わります。濁流のように混沌《こんとん》と流れていた時間が、整然とよどみなく流れるようになり、仕事もプライベートもゆとりを持って楽しめるようになるのです。

【毎日がお休み】　「考えようによっては」楽しみになる、という部分は、どんな仕事にもあります。仕事の中にうまく楽しみを見つけ出すことができれば、「毎日がお休み」ととらえることさえできるでしょう。

忙しすぎて、なかなか休みがとれない場合、仕事そのものを楽しむという方法がおすすめです。たとえば出張を旅行だと考えてみてください。心の中で楽しんでいるからといって、仕事の成果が出ないということはありません。肩の力が抜ける分、いい仕事ができるようになることのほうが多いのです。上手に体と心を休ませるよう、仕事のイメージを楽しいものに変えましょう。

【自分のための時間】

どんなに忙しいときでも、24時間の中のどこかに、自分のための時間をつくることはできるはず。仕事漬けになるもならないも、あなたの工夫しだいなのです。

たとえばランチタイムを充実させたり、残業のあとに終電に駆け込まず、リッチなホテルに泊まってみたりして、一日の中のどこかに、自分がリラックスできる時間を必ずつくりましょう。そこでエネルギーをチャージすれば、また集中して仕事に取り組めます。そういうことにかけるお金を惜しんではいけません。それは生きて働く、いいお金の使い方なのです。

【仕事と遊び】

仕事ができる人ほど、遊ぶことも上手です。

仕事を離れた遊びやつきあいの中でこそ、新しい仕事のアイデアがわいてくることがよくあります。仕事のできる人は、遊ぶ時間も大切にしています。もちろん仕事のために遊んでいるわけではありません。遊びの時間を心から楽しみ、リラックスすると同時に情報収集もしているのです。

【仕事と遊び、両方楽しむコツ】　忙しくても、夕食を食べに行く感覚で人と会うこと。すきまの時間も利用して仕事をすること。すばやく気持ちを切り替えること。どんなときでも仕事のヒントを探すこと。それが人一倍の仕事量をこなしながら、多くの人とつきあい、遊びや趣味をたっぷり楽しむコツです。

【時間の長さと質】　時間の「長さ」は変えられません。持ち時間はみんな同じ、24時間です。けれど時間の「質」は変えられます。心を込めて工夫をこらし、大切にしようとすることで、同じ長さの時間とは思えないほど充実してくるのです。

【時間のつくり方】　時間はつくろうとする気があれば、必ずできます。まず自分で選んだ自分のフィールドを肯定しましょう。忙しくて休みもとれない、そんな環境を選んだのは、ほかの誰でもないあなたです。その肯定があれば、「時間がない」

というのは、自分への言い訳にすぎないとわかるはずです。

何かの資格に挑戦したり、少し遠くへ旅に出たりする。そんな新しい冒険に歯止めをかけるのは、「時間がない」という思いです。けれど、やりたい気持ちが本物なら、時間は必ずつくることができます。朝、いつもより早起きしたり、昼休みを利用したり、工夫はいくらでも考えつくはず。「時間がない」と言い訳をしている限り、やりたいことは何もできません。あとになって「こんなはずじゃなかった」と後悔しないためにも、今すぐやりたいことにチャレンジしてください。そのための時間は必ずあるのです。

【お金とは何か】

お金とは、この世で学ぶためのドリルのひとつ。その中でも、基本的な、誰もが学ぶ国語の教科書のようなものです。皆が経験するレッスン材料なのです。

お金と上手につきあうためには、まず「お金とは何か」という基本的な定義をしっかりと持つことが大切です。お金にかかわらずに生きていける人は、ほとんどいません。お金に振り回されず、上手につきあうことは、人生を充実させるうえでとても大切なポイントです。特に自分が「お金のことで悩みやすい」という人は、お金という素材を使って学ぶべき課題を持って生まれてきているということ。お金の意味や、自分を幸せにするための使い方を、じっくり考えることが大切です。

【たかがお金】

お金自体は、いいも悪いもありません。ただ、そこにさまざまな人の念、憎悪や妬《ねた》み、嫉《そね》み、願望などが込められることが多いというだけです。お金そのものは、ただの道具。「たかがお金」と考えていいのです。

「お金がない」といってひがんだり、お金のある人をうらやんだりするのは、お金に振り回されているということです。反対に「お金のことを考えるなんて意地汚い」と思ってしまうのも、同じように、お金の扱いが下手な人だといえます。お金に振り回されない人、お金の扱いがうまい人は、お金のことをいいとも悪いとも思いません。あればあったでうれしいし、なければないで幸せ。そう思えるのです。「お金なんかなくてもいい」とか「どうでもいい」ということではありません。お金は、どう生かすか。どう利用するかが大切です。それがわかっている人は、お金という現世の課題をクリアできている人です。

【お金に振り回される人】　多くの人は、「お金があると幸せ、ないと不幸」と思いがちです。それはお金の定義を深く考えないまま、お金に振り回されているからです。

「お金があると幸せなはず」と思い込んで、貯金をふやすことに懸命な人。反対に、「お金なんて汚い」と思い込んで、お金に罪悪感を持っている人。どちらもお金に振り回されている人です。自分自身にとって、お金とは何か。何をするためのものなのか。いくらあれば、自分は幸せなのか。そういったことを、深く考えてみてください。それが、お金と上手につきあう第一歩です。

【必要なお金をためるコツ】　お金は、たましいが学ぶために必要な道具。いいかえれば、トレーニングマシーンです。マシーンばかり増やしても、意味はありません。そのお金を使って何をするのか。どんな学びを得るのか。そこがポイントなのです。

お金をためるには、強く念じることです。「私は必ず、これだけのお金を稼ぐ」という強い気持ちを持つこと。その金額はできるだけ具体的にしましょう。そして何より、そのお金の使い道を必ず考えてください。そうすれば、お金は必ずたまります。たまらないのは、使い道を考えていないときです。つまり、ためたお金で何をするのか。何をすれば、自分は幸せになれるのか。そこまできちんと考えてください。そうすれば、必要な金額はたまります。必要な努力ができるようになるからです。

【お金と幸福の関係】

お金を持っていればお金持ちで、持っていなければ貧乏、というような単純な判断はできません。持っていても、持っていなくてもいいのです。一番いけないのは、自分が何にお金を使えば幸せになるか、わかっていないことです。

どうしても自分の家を買いたいという人と、おいしいカツ丼が月に1度食べられればそれで幸せという人、それぞれにとって、お金はまったく別の価値を持っています。前者にとって、2000円はただの小銭ですが、後者にとっては、それで名店のカツ丼が食べられる、十分にリッチな金額なのです。お金の価値は「自分が何にそれを使いたいか」という目的によって変わります。自分が幸せになるために必要なお金はいくらか、それを考えることが大切なのです。

【お金がない人】 今日の貧乏、明日の金持ち。お金がないことは病気ではありません。明日はどう変わるかわからないのです。お金で相手をはかるのは愚かなことです。

【お金の法則】 自分のために浪費したお金は返ってこない。人のために使ったお金は戻ってくる。これがお金の法則です。

結婚のお祝いなど、人のために気持ちよくお金を使っていると、いつかそれはめぐりめぐって、自分のところに戻ってきます。反対に、必要なお金を出ししぶると、別のことで出費を余儀なくされたりするのです。お金は使ってこそ、めぐってくるもの。出費が続くときは、やがてお金が入ってくるということです。お金が出ていかない人のところにはお金は入ってきません。ただし、自分の贅沢のためだけに浪費したお金は、話が別です。それは出たら出たっきりで、返ってこないお金です。

【お金のエネルギー】　お金には、人の念や欲が込もっています。汚いエネルギーが入っているので、多く手にしたときは、ほどほどに流していかないといけません。

バブル全盛期のとき、一度に大金を手にした人たちは、あっという間に失ってしまいました。お金の垢がたまりすぎて、急激に負荷がかかったので、失うのも早かったのです。急に大金を得て、幸せになった人はほとんどいません。そんなお金の性質を理解して、ほどほどに流していくことを心がけましょう。お金は使ってこそ生きるもの。流してこそ入ってくるものです。

【お金を浄化する】　お金は入ったら流していく、ということが大切です。水と同じで、「たまると濁る」という性質がお金にはあるのです。

たとえば、タダで得をしたという場合、意外な収入があった場合、必ず何かの形で返しましょう。別の友人にご馳走してもいいし、ボランティア団体などに寄付してもいいでしょう。入ってきたお金に対しては、常に浄化をするという気持ちを忘れないでください。もらう、払う、この2つのバランスをとりましょう。

【お金と時間の共通点】

お金も時間と同じ。それを大切にしない人が上手に使えるはずがないのです。

【生きて働くお金】

自分のために、あるいは人のために、生きて働くお金を使う。それが、本当の意味で「お金を大切にする」ということです。

いいお金の使い方とは、お金が生きて働く使い方。悪い使い方とは、お金が死んだように価値をなくしてしまう使い方。つまり、お金を「生き金」にするか「死に金」にするかが問題なのです。仕事が忙しいとき、リラックスするために少しリッチなホテルに泊まるのは生きた使い方。リフレッシュできて、エネルギーがわいてくるからです。けれど、安い居酒屋で深酒をして二日酔いになるような使い方は死んだ使い方。翌日の仕事にもさしさわるでしょう。お金をどう生かすか、それを考えることが大切なのです。

【一番いい使い方】　本当に人に役立つことにお金を使う。それが一番いいお金の使い方です。

たとえば「国境なき医師団」などのボランティア団体に寄付をすれば、お金が誰かの命を救うかもしれないわけですから、最高の生き金といえます。ただし、自分のために使うことが悪い使い方というわけではありません。生き金であればいいのです。人のために使うお金と自分のために使うお金、そのバランスをとることが大切です。

【お金は返ってくる】　お金を「生き金」として使って流していれば、お金は次々とあなたのもとに返ってきます。誰でも、自分を大切にしてくれる人のそばに行きたいでしょう。お金も同じだと考えてください。

【借金】　お金は便利な道具です。けれど、使い方を知らなければ、自分が振り回されて、人生を台無しにしてしまいます。人生をより豊かにするために、お金という「道具」を賢く使いこなしてください。

今は簡単にお金が借りられます。その安易さに甘えていると、いつのまにか莫大な借金を抱えることになりかねません。自分を励ます目的で、ローンを組んで高額な買い物をするのもいいでしょう。けれど、「あれが欲しい、これも欲しい」という物欲の赴くまま、むやみに借りていると、やがて自分の首をしめることになります。お金もお酒と同じ。飲んでも飲まれるな、というスタンスが必要なのです。

【お金の価値】 同じ1万円が100万円の力を持つか、それとも0円になるか。それは使う人しだいです。1万円を100万円の価値にまで高めるようなお金の使い方をしてください。ポイントは心を込めること、それだけです。

結婚のお祝いなどをするときは、相場を気にして金額を包むよりも、今の自分にできるだけの金額にすればいいのです。そのかわり、心から祝福する気持ちを持って、できればそれを伝えるメッセージを添えるといいでしょう。そうすれば、同じ金額でも何倍もの価値を持つようになるのです。

【衝動買い】　心に愛とゆとりがない場合、人はものを買い込みます。愛に満たされていれば、「何にもいらない」という気持ちになるのです。

人は、心の中に愛の電池を蓄えています。たっぷりと愛が充電されていれば、生き生きと明るく、充実して過ごせるのですが、愛の電池が枯れると誤作動を起こします。そのひとつが、衝動買いだったり、買い物依存症と呼ばれる症状であったりします。本当は愛が欲しいのに、それが得られないから、もので補おうとしてしまうのです。不必要なものまでつい買ってしまうというときは、愛の電池切れを起こしているのかもしれません。友だちや恋人、家族と楽しい時間を過ごすなどして、愛の電池を充電してください。

【愛の充電方法】　与えることで、愛はますます充電されていきます。大げさなことをする必要はありません。明るい笑顔を見せるだけ、元気のいいあいさつをするだけでも、愛を与えることになるのです。

【金運を強める】　金運を強くしたいと思うなら、お金に対する罪悪感を捨てること、そして、お金に対して感謝の気持ちを持つことです。

日本には「清貧」という言葉があるように、貧しいことは清らかなこと、お金を持つのは卑しいことだ、という考え方が根強くあります。お金自体は決して悪いものではありません。懸命に働いてお金を手にすることは、すばらしいこと。努力をせずに貧乏でいることは、清らかでも何でもありません。まずお金に対する罪悪感を一掃することが、金運を強くするためには必要です。また、思わぬ収入があったり、人にご馳走してもらったりしたときは、「ありがとう」という感謝の気持ちを忘れずに。そうすれば、再びお金はあなたのところにめぐってきます。

【仕事とお金】　お金は、経験を積ませるために、神様がつくった方便にすぎません。お金のために仕事をするのではないのです。経験を積んだり学んだりするために、お金があり、仕事があるのです。

お金がなくても生きられるなら、誰も働かなくなってしまいます。それでは、仕事を通して経験を積むことができません。ですから、生きるためには、お金が必要なシステムになっているのです。この順番を間違えないでください。お金が最終目標ではないのです。

【適切なサラリー】　自分には、どれぐらいの能力があるのか。どの程度、会社に貢献しているのか。自分の能力に見合ったお給料はいくらぐらいなのか。経営者になったつもりで、自分の「仕事力」に値段をつけてみてください。それがはっきりすれば、自分のとるべき道がわかります。

自分のお給料に漠然と不満を感じているときには、一度、社長になったつもりで、自分の仕事力に値段をつけてみてください。謙虚になりすぎる必要はありません。けれど、傲慢になってもいけません。冷静に客観的に判断してみてください。お給料は「もらって当たり前」のお金ではありません。仕事力の対価なのです。「給料以上の利益を与えている」と思えば、もっといいサラリーを求めて転職すればいいし、「給料分ほどは働いていない」と思うなら、今の会社にとどまって仕事の能力を磨きましょう。道が見えている分、今までのような漠然とした不満はなくなるはずです。

【大人の感性】

自分の人生で起こることはすべて、自分の責任。胸を張ってそういえる人が、本当の大人です。今の給料がその額なのも自分の責任。まずそう考えることから始めましょう。

すべては自分の責任。そういう覚悟ができたとき、給料への不満は、明日への意欲に変わります。

【たましいの財産】

お金や宝石なら、人に盗まれることもあるかもしれません。でも、経験という「たましいの財産」だけは、誰にも盗めないのです。これが、この世で一番貴重な財産です。

人がこの世を去るとき、携えていけるのは、心に刻まれた経験だけです。それ以外の物質的なものは、何ひとつ持っていけません。「たましいの財産」としての経験を積むには、やはり行動するしかないのです。冒険し、新しいことにチャレンジすることが必要です。その積み重ねの中で、人として「生きている」という確かな実感が得られるのです。

【お金と心】 最終的に頼りになるのは、お金ではなく、人です。人とのつながりを大切にして、心のケアもできるように気をつけておきましょう。お金と心。両方の車輪がうまく回ったとき、初めて人は安心を得られるのです。

日常の人間関係が満たされていないと、どんなにお金があっても、「これで安心」と思えることはないでしょう。人と接すると、傷つくこともあります。だからといって、表面的な関係だけでお茶を濁していると、心はどんどん貧しくなります。傷つけたり、傷つけられたりすることを恐れずに、日常の人間関係を大切にしてください。その中で、きっとお金では買えないものが手に入るはずです。表面的ではない、本物の笑顔に出合えるはずです。当たり前すぎて忘れられていることですが、愛は決してお金では買えません。

【成功の秘訣】 「成功したい」「ツキを呼びたい」と思うなら、絶対に「至福感」

が必要です。「ああ、この仕事ができて幸せ」と思う気持ち。「私には才能がある」「絶対にできる」と思い込む気持ちが必要なのです。

思い込みも才能のひとつ。自分はこの仕事に向いている。この仕事ができてうれしい。絶対に才能がある。そう思う心がテンションを高め、いい波長を生み出して、すばらしいチャンスを呼び込むのです。

【成功を呼び込む力】　幸福や成功を心から望むなら、不成功をイメージしてはいけません。「もうダメだ」「できない」と思ったら、「いや、絶対に成功する」「ダメじゃない」と口に出していい直しましょう。言霊の力を使うことで、波長が高まり、ツキを呼び込むことができるのです。

【期待するより努力をする】　必要以上に期待をするより、努力をしましょう。努力は嘘をつきません。努力は決して裏切りません。

「できなかったらどうしよう」などと、いつも失敗することを考えてしまうクセは直しましょう。期待が強すぎるから不安になって、悪いことばかりを考えてしまうのです。必要以上に期待をするより、ポジティブな気持ちで、努力をしてください。いかに強い気持ちで、エネルギーを注ぎ込めるか。それによって結果が変わってくるのです。決してツキのせいではありません。今、目の前の結果に一喜一憂したり、不安に思ったりするのではなく、視野を広く持ち、いつか必ず時期がくると信じて、努力はするけれども焦らずに待つ。そういうゆったりした姿勢でいると、滞っていた物事が、本当にうまく循環していく時期が必ずくるのです。

【成功の理由】　成功したときは、成功する理由があります。失敗したときには、失敗する理由があります。単純に、ツキがあったから成功して夢がかなった、ツキがなかったから失敗して夢がかなわなかった、ということではありません。

この世に偶然はありません。成功したとき、失敗したとき、それぞれに理由があるのです。自分の心を深く内観して、物事がいきづまる原因は何だったか、冷静に考えてみてください。そして、今悩んでいる本当の理由は何か、何を学ぶことが自分の課題なのか、考えてみましょう。そのとき、あなたのガイド・

スピリットとプラグがつながり、きっと答えが見つかるはずです。そして、いつか成功の美酒を味わうときにも、その理由を冷静に判断してください。それはあなたの努力の賜物です。時機を待ち、正しい努力をしてきた結果です。物事の意味をきちんと読み取ることができた証なのです。このセオリーを押さえていれば、次に大きなチャンスがきたときも、同じ体験が生かせます。成功が成功を呼ぶ、いい循環が始まるのです。こうなれば、夢見た未来はすぐ目の前です。

【成長の原動力】 こうなりたいという夢は、私たちにパワーを与えてくれます。夢こそ、感動の源です。たましいを成長させる原動力にもなるのです。

【行き先は自分で掲げる】 行き先のはっきりしたバスに乗りましょう。その行き先は、自分で決めるのです。目的地を変更せざるをえない場合でも、そのつど、行き先のプレートは自分できちんと掲げてください。それが、仕事を楽しみながら、人生を幸せに旅するコツなのです。

まず最初に「自分はどこに行きたいか」「10年後、どうなっていたいか」という目標をきちんと掲げることです。旅先で、どこに行くのかわからないバスに乗る人はいません。それと同じこと。人生という旅では、行き先のプレートを自分で掲げることが大切なのです。計画通りにいくとは限りません。でも何も計画を持たないでいると、かなうはずの夢もかなわなくなります。経験できることも限られてしまうでしょう。それはもったいないことです。

【今日が始まり】　10年後の夢のために、今日をどうやって過ごすか。どんなことにお金を使うか。そう考えて行動してください。今日が、10年後の始まりです。

いい仕事をするためには、「自分が10年後にはどうなりたいのか」「そのために、今日、何をすればいいか」「どんなことにお金をかければいいのか」じっくりと考えてください。10年後の夢に資格が必要なら、その勉強を。お金が必要なら、節約して貯金を。今日の快楽のために時間やお金を浪費してしまうと、その分、夢は遠ざかります。今の暮らしを選ぶか、10年後の夢を選ぶかです。ひとつひとつの行動を、夢に向かって意識的に選択しましょう。

【夢を実現する道】 夢を実現する正しい道は、ひとつとは限りません。それを見つけるのも才能のひとつです。

自分なりのポリシーにこだわるあまり、夢を遠ざけてしまう場合があります。自分が何をすべきなのか見誤ってしまうからです。それぞれの世界には、それぞれのやり方、ルールがあります。それを無視して、頑固に「自分流」を貫こうとすると、夢は遠ざかります。柔軟に考えて、さまざまなやり方に挑戦してください。

【夢への覚悟】 安穏としていては、夢はかないません。覚悟を決めて自分の夢に向かっていく。必要なら、我慢もし、努力もして、夢に近づいていく。そういう姿勢が大切なのです。

タナボタでかなうような甘い夢は、本当の夢とはいえません。夢への道のりには、必ず忍耐や苦難が伴います。だからこそ、夢がかなったときの喜びが大きいのです。苦しいとき、それは夢に近づいている証だと考えてください。

【夢と挫折】 夢は、それに向かって努力する、その途中経過が大切なのです。たとえ途中で挫折しても、その経験がなくなるわけではありません。

夢見て努力してきたことが、結果的にかなわなかったり、途中で挫折したりすることもあるでしょう。そのときは苦しいけれど、夢のために努力してきたこと、耐えてきた事実が消えてなくなるわけではありません。決して無意味なことをしてきたわけではないのです。その事実をかみしめてください。目的地まで行き着くことだけがすべてではありません。途中経過を経験できたこと、それだけでもすばらしい財産なのです。

【夢はなくならない】 今を輝かせる努力をしていれば、置き去りにしたつもりの夢でも、夢のほうがあなたを追いかけてきます。あなたが手放さない限り、夢は決してなくなりません。

たとえ挫折した夢でも、バッサリすべてを切り捨ててしまう必要はありません。忘れようとするから逆に苦しいのです。ひとつの夢に挫折したら、ではどんな形でなら夢に近づくことができるか、その方法を考えてみましょう。たとえば水泳選手になる夢が絶たれたのなら、コーチになるとか、水着のデザイナーになるなど、いろいろあります。夢に向かって努力してきた蓄積が財産になって、新しい夢が始まるのです。

【才気ある人との出会い】

才気を感じて「うらやましい」と思える人との出会い。それは「あなたにも同じ才能がありますよ」ということの映し出しです。「早く気づきなさい。気づいたら、それを磨く努力をしなさい」というメッセージです。

才能のない人はいません。誰でも輝く宝石です。ただし、「私には何の才能もない」といって磨く努力をしなければ、才能は埋もれたまま。自分の才能に早く気づくことが大切です。そのヒントは、周囲のすべての事象の中にちりばめられています。身近な友人、マスコミに登場する人、過去の偉人などの中に「才能がある」と思える人がいるでしょう。それは、同じ才能があなたにもあるということです。まだ磨かれずに眠っているだけ。才能はあるのです。その事実をかみしめ、信じてください。すべてはそこから始まります。

【眠れる才能を掘り起こす】　自分の才能を掘り起こすということは、自分自身の本当の姿を知る、ということ。本当の姿を知れば、その中に必ず「才能」は隠れています。

「才能」というと、何か特別な力のように思うかもしれません。けれど、派手で目立つ力だけが才能ではないのです。自分は何が好きで、どんなことが得意なのか。自分自身をよく知っている人は、自分の中にある才能に気づいています。人から見て「カッコいい」と思われる才能ではないかもしれません。けれど、まぎれもなく、その人だけに、生まれながらに与えられたプレゼントです。宿命といってもいいでしょう。その宿命に気づき、受け入れましょう。隣の芝生をうらやんでばかりいては、いつまでたっても自分の才能に気がつきません。宿命を受け入れて努力すれば、運命はいくらでも切り開けます。気づかなかった才能が、光を浴びて、みごとに花開くのです。

【人の目を気にしない】　今、あなたに好きなものがあるとしたら、誰に何をいわれても、その「好き」という気持ちを大切にしてください。下手なバッシングに負けてはいけません。好き。その気持ちさえあれば、あとは努力で何とでもなるのです。

自分に好きなこと、得意なことがあっても、人にどういわれるかを気にしていると、その才能を磨けません。ほかの人と比べる必要はないのです。たとえ世の中の人全員から「お前には無理だ」「お前は下手だ」とバッシングをされても、自分のたましいが求めることなら突き進みましょう。才能は、すぐに周囲の人に認められるというものではありません。人の言葉に振り回されず、自分の心に聞いてください。

【問題はひとつ】　好きかどうか。やってみたいかどうか。問題はそれだけです。心を決めたら、あとはひたすらそれを磨く努力をしてください。

【無限の可能性】　人の可能性は無限です。「好き」という気持ちが熱意となり、努力が加わって念力となり、背後につながるさまざまなガイド・スピリットを呼び起こしてくるのです。

才能はひとつとは限りません。好きだと思うことがたくさんあるなら、どんどん挑戦してみましょう。人には、それぞれガイド・スピリットがついています。そのガイド・スピリットにもガイド・スピリットがついています。あなたを頂点にして、逆ピラミッドのようにガイド・スピリットの数は増え、広がっているのです。それぞれのガイド・スピリットには、それぞれの才能がありますから、どんな人にもはかりしれない才能があるといえます。その才能を伸ばしたいという熱意と、その才能で人の役に立ちたいという使命感があれば、今まで出番がなかったガイド・スピリットたちも、たくさん応援にかけつけてくれます。それを忘れないでください。

【焦り】　人と比べるから、焦りが生まれるのです。好きなことを始めるときに、いたずらに人との競争に出ないようにしてください。誰とも比べる必要はありません。あなたは、あなた自身の喜びのために、今を生きているのです。

好きという気持ちがあっても、人と比べたり競争したりすると、その気持ちがしぼんできます。「本当は好きだったのに、比べられるのが嫌で、やめてしまった」ということがあるなら、もう一度、始めてみましょう。人と比べなければ、傷つくことはありません。失敗して恥ずかしいという気持ちも生まれません。自分なりに努力すればいいだけです。そこにあるのは、自分の喜び、ただそれだけなのです。

【未来へのヒント】 自分の心を確かめないまま、情報の渦に巻き込まれてしまうと、再び自分を見失います。まず自分の内側を見つめること。必要な情報はすべてそこにあります。

自分の好きなこと、やりたいことを見つけるために、図書館やインターネットで情報を探すのはいいことです。けれど、順番を間違えないでください。先に自分の心の内側を見つめてから、情報を求めることが大切です。過去を振り返って、自分が好きだったこと、得意だったこと、時間を忘れて取り組んだことを思い出してください。そこにヒントがあるのです。情報を探すのは、それを確認してからです。

【封印をとく】　封印していた「好き」に気づいて、錆《さ》びついていたその扉を開ければ、そこには思いもかけない素敵な楽園が広がっています。

Part 4

〈美と健康の365日、知恵の箱〉

心も体も、もっともっとあなたの思い通りになります

【容姿にも意味と価値がある】

人は、生まれてくるとき、自分自身のたましいの課題にぴったり合う容姿を選んできます。持って生まれた容姿にも、意味と価値があるのです。

たとえば生まれながらに太れない体質の人もいれば、すぐに太ってしまう体質の人もいます。それぞれに意味があるのです。また、どんな人でも自分の容姿にコンプレックスを持つものですが、それを克服することが、それぞれの課題であるともいえます。この世に意味のないことは、何もありません。自分の容姿という逃れられない宿命からも、自分が何を学ぶために生まれてきたのかを考えることはできるのです。その意味と価値を認めることができたら、自分の容姿を愛することもできるようになるはずです。

【自分らしい美しさ】

努力した結果、美しさと健康を手に入れ、周囲の人にも元気を分けてあげられるようになる。これはすばらしいこと。努力して自分を磨き、充実させていけば、必ず自分らしい美しさが手に入るのです。

今はさまざまな美容法とその情報があふれています。自分に合うものを見つけて、試すことは決して悪いことではありません。「何をやっても、しょせん無駄」と思って何もしないでいると、自分の容姿にますます自信がなくなって、ネガティブな思いが強くなるだけです。毎日を生き生きと充実して過ごすためにも、きれいになることをあきらめないでください。容姿は磨けば光るもの。どんな容姿でも必ず光るのです。

【怠惰という罪】

一番よくないのは、怠惰です。「どうせ私なんか」といじけて、何の努力もしないことです。怠惰な土地には、どんな花も咲きません。

自分の容姿が気に入らないという人は、人一倍、自分の体を磨くための努力をしないといけない、そういうテーマを持って生まれてきたのです。それに気づいたら、きれいになるための努力をどんどんしてください。きれいになりたいと強く願う、その思いが人を美しくするのです。

【欠点を受け入れる】

自分の「欠点」と思える部分を受け入れるのは難しいこと

ですが、不可能ではありません。時間をかけて努力をすれば、必ず受け入れられます。そのとき、本当の美しさが備わり、思ってもいなかった幸せが訪れるのです。

幸せになれるのは、自分をよく理解できている人です。自分の長所は何で、短所は何か。短所を補うためには、どうすればいいか。特に、自分の欠点をカバーするための方法を考えることがポイントです。気配りでもいいし、話のおもしろさでもいい。努力すれば身につく魅力は、たくさんあります。少しの欠点にこだわってクヨクヨ悩むと、その欠点がさらに強調されます。自分をよく見つめ、欠点も理解して、たくましく前進することで、人は幸せになれるのです。肉体から見えてくる自分のテーマを理解し、欠点を受け入れること。それができれば、ウイークポイントがチャームポイントになるのです。

【美容整形】　美容整形では、心まで手術できません。美容整形の手術を何回しても満足できないという人もいますが、その人に必要なのは外見のケアではなく、心のケアが必要です。「自分はきれいじゃない」と思い込んでいる、その心をケアする必要があるのです。

生まれついての顔形は、その人の宿命ですから、受け入れなくてはなりません。けれど、どんなに顔の造作が似ていても雰囲気は違う、ということがよくあります。それは人の容姿には、内面が反映されるからです。ですから、顔形にこだわるよりも、内面のスピリチュアリティを高めることのほうが大切です。明るくほがらかな心を持っていれば、それは必ず容姿に表われます。どんな容姿であっても磨けば必ず光ります。まず自分の宿命を受け入れて磨く努力をしてください。それでも、ポジティブになるために手術が必要だと思えば、容姿という宿命の意味を理解したうえで手術を受けましょう。そうすれば、いい手術ができるはずです。

【いい顔の人】　人間の顔には、その人の人生観が表われます。年をとればとるほど、自分の顔には責任を持たないといけません。シワがあっても美しい人はたくさんいます。顔に人格や生き方が表われるのです。

「いい顔」というのは、作為的につくろうとしても、つくりきれるものではありません。エステやダイエット、ヘアメイクに挑戦して美しくなろうとするとき、その気持ちは美しいオーラを放ちます。けれど、それで得られる表面的な美しさは、あくまでもアクセサリー。基本は内面なのです。車のボディにどんな装飾品をつけても、運転手が変わらない限り、走り方は変わりません。それと同じです。車を改造したり、アクセサリーを楽しんだりするのもいいでしょう。けれど、どんな走りをするかは、乗る人しだい。たましいが、肉体の操縦士なのです。

【心と食欲】

心が落ち着いていれば、適度な食欲を取り戻せます。たましいの飢餓感が、肉体を蝕《むしば》むのです。

仕事が忙しすぎたり、悩みごとがあったりすると、心のリズムが速くなります。「吸収しなくては」という意識が強くなって、早食いしたり、食べすぎたりしてしまうのです。反対に、仕事で疲れすぎたり、憂鬱な気持ちでいたりすると、心のリズムが落ちてきます。「吸収しよう」という意識が薄れ、食べ物を受けつけなくなってしまうのです。食欲過多の人は、食事どきにゆったりしたリズムのクラシックやヒーリング・ミュージックなどを聴きましょう。食欲減退の場合は、アップビートな曲を選んでください。音楽やリズムが体に与える影響はとても大きいので、上手に使えば食欲をコントロールすることができるでしょう。また、自分が本当に欲しいものが得られないとき、かわりに食べたり飲んだりしてしまうことがあります。愛の電池が切れかかっているのです。まずは、自分のたましいの孤独や飢餓感に気づくこと。気づいたら、家族や友人との時間を大切にして、愛の電池を充電してください。

【たましいの作戦タイム】眠いときはたっぷり眠りましょう。それは、人生の大変化に備えて、知恵を身につける時期。とても大切な時間なのです。

いくら寝ても眠いというとき、無理して起きている必要はありません。そういう症状は、人生の大きな節目に出やすいもの。私たちは眠っている間に、スピリチュアルな世界に里帰りして、新たな人生の知恵を授かっているのです。その期間が過ぎると、いきなり仕事の内容が変わったり、大きな仕事に出合えたりします。眠いときは、我慢せずにぐっすり眠り、エネルギーを蓄えましょう。

【スピリチュアルな栄養】　私たちは、食べなくても、ある程度なら生きていけます。しかし、まったく眠らないと生きていけません。それほど睡眠は大切です。肉体の栄養は食物から得られますが、スピリチュアルな栄養は、睡眠によって得られるのです。

【スピリチュアル・バスタイム】　悪いエネルギーがたまると、心も体も疲れてきます。忙しくて疲れているときほど、バスタイムを充実させてください。体を温め、毛穴を開いて汗をかくことで、体内の悪いエネルギーを浄化させることができます。

疲れを感じたときは、質の高い、深い眠りが必要です。そのためにも、眠りの前のバスタイムを大切にしてください。お風呂に入ると、全身の毛穴が開いて、体と心にたまった汚れたエクトプラズムを発散できるのです。エクトプラズムとは、一種の生体のエネルギーのことで、目には見えません。通常は、白いきれいなエネルギーです。ところが、体が疲れてきたり、心にネガティブな思いがたまってきたりすると、このエネルギーが汚れます。これを十分に発散させないと、心身の疲れはとれません。それには、入浴が最も効果的なのです。

【生まれ変わる】　バスタイムは、心身の健康と癒し、美容にとって、本当に大切な時間です。まさに「お風呂で生まれ変わる」ほどの効果があるのです。バスタイムを意識的に充実させることで、心も体も癒されます。その安らぎが、明日のあなたの笑顔をより美しく輝かせるのです。

【幸運を呼ぶ〝気持ち〟】　美しくなるのは、体にも心にも、とてもいいことです。「きれいになりたい気持ち」は幸運を呼ぶパワーになります。鏡の中の自分に満足できるとき、疲れを感じることはありません。

【愛されている体】　お気に入りの車をていねいに洗うように、自分の肉体も愛情を持って、きちんとメンテナンスをしてあげましょう。愛されていない車と愛されている車は見ればすぐわかるように、愛されている肉体もすぐにわかります。

【たましいの乗り物】 肉体の操縦士はたましいです。たましいがすべての基本。肉体は、たましいの乗り物です。

自動車は、それを操縦する運転手によって、クセがつきます。たとえばブレーキが使いやすいとか、スピードに乗りやすいとか。体もそれと同じです。操縦士であるたましいのクセが、体に表われるのです。たとえば、物事を注意深く見られない人は、目が疲れたり、目を患ったりすることが多くなります。「注意して物事を見なさいよ」というメッセージです。自分自身の肉体を見ることで、たましいを見つめ直すことができるのです。

【病気もひとつの学びの場】 病気のネガティブな面にとらわれすぎないでください。病気によって、私たちは救ってもらったり、目覚めさせてもらったり、学ばせてもらったりしていることもあるのです。

病気にはいくつかの種類があります。ストレスやプレッシャー、または肉体の過労によって起こる病。寿命として、宿命的に逃れられない病。そして、カルマ（因果律）によって引き起こされる病。これは自分自身の思いや、行為によって、結果的に生じる病です。たとえば、弱気になったときに風邪をひきやすくなるということがあります。ネガティブな波長が病を引き寄せたのです。病気になったとき、それがどんな種類のものか見極めて、そのメッセージに耳を傾けてください。今までの自分の心のあり方、暮らし方などを見直すことが大切です。病気があるからこそ、私たちは自分の肉体と心をもう一度見つめ直し、生きる意味を考えることができるのです。

【体からのメッセージ】　自分でコントロールできる「運命」の部分で、もう一度、見直しを迫られているとき、それが体の諸症状となって現われます。

肉体の操縦士であるたましいの問題を解決しないと、いくら肉体をケアしたり薬を飲んだりしても、それは対症療法にすぎません。別の形で、別の部分に症状が現われるでしょう。ただし、病気やケガが致命傷になる場合は、たましいからのメッセージというより、「宿命」です。人には、あらかじめ決められた命の長さがあるのです。宿命ではなく、自分でコントロールできる事柄に対して、「気をつけなさいよ」と注意を促されるとき、病気や疲れ、不調となって現われるのです。

●頭痛、頭の病気やケガ

「考え方をもう一度、見直しなさい」といわれていることが多いです。誰かに何かをいわれても、かたくなに自分の意見を変えようとしないとき、頭痛が生じる場合があります。考え方が柔軟ではなく、自我に固執しているときです。

●目の痛みや疲れ、目の病気

「注意深く物事を見ていますか?」という問いかけであり、「しっかり相手を見なさい」というメッセージです。視力が落ちると、目を凝らさなければ対象物が見えません。人一倍、じっと見るようになるでしょう。「慎重になりなさい」という意味合いもあります。反対に、人のアラ探しばかりしているときも、目を患うことがあります。「周囲の人を詮索《せんさく》しすぎていますよ」というイエローカードです。また、目は、親を含めて「目上の人」を表わす場合もあります。目に少し炎症が起きたりしたとき、「親を大事にしているかな」「目上の人に失礼なことをしなかったかな」

と考えてみるといいでしょう。

●耳のトラブル

人のアドバイスを聞かなかったり、頑固になっていたりするときに現われることが多いです。不注意であることへの警告の場合もあります。また、家庭や職場でトラブルが続き、人がののしりあう声ばかりを聞いていると、難聴などのトラブルが起きます。「必要ないものは聞き流しなさい」というメッセージです。

●鼻のトラブル

心が少しいじけているとき、心が後ろ向きになっているとき、鼻炎という症状になる場合があります。「鼻につく」という慣用句は、相手の傲慢な行動に嫌気がさすときなどに使われます。ですから、傲慢になっているときも、鼻に症状が出やすいと考えてください。外見にこだわりすぎているときや、虚栄心が強くなっているときも同じです。

●口（舌や歯）、喉のトラブル
「言葉に気をつけたほうがいいですよ」というメッセージです。人の悪口ばかりいっていたり、愚痴をこぼしてばかりいたりすると、喉が痛くなったり、口内炎ができたりします。「口は禍《わざわ》いのもと」ということわざ通りなのです。

●首のトラブル
寝違えたりして首をいためるのは、攻撃型の人によく見られます。すぐに人を批判する人は、首をケガしたり、むちうち症になったりしやすいのです。

●肩こり、肩のトラブル
人から見られることを意識しすぎている場合、肩にトラブルが起こりやすくなります。「肩を落とす」という慣用句があるように、肩には、心の張りや自信が表われるのです。「肩ひじ張る」ともいいます。人から見られることを意識して、頑張りすぎていたり、人からの評価を気にしすぎたりしている場合、肩にきます。また、肩は首と近いので、攻撃的に人を責めたり、評価したりしている場合もあります。

女性に肩こりの人が多いのは、人から見られることが多いからでしょう。自分自身を等身大に見つめて、ナチュラルに生きていれば、肩こりは緩和されます。

●呼吸器のトラブル

嫉妬心が原因のことが多いです。心が狭くなって、相手を縛ろうとすると、キュッと気管が狭まって、気管支炎になりやすいのです。嫉妬や焼きもちは、寂しさからくることが多いので、呼吸器のトラブルがあったときは、愛情の電池が切れているのではないかと、注意して振り返ってみてください。

●関節のトラブル

物事を四角四面にとらえる場合によく出ます。考え方に余裕がなかったり、柔軟性がなかったりする場合です。リウマチなどの病気も、生真面目すぎる人がなりやすい傾向があるようです。

●心臓のトラブル

自分自身に素直な生き方ができていない場合です。たとえば親のいうままに家業を継いだけれども、どうしても自分のやりたいことはほかにある。本来の自分が発揮できていない。そういうとき、心臓に症状が出る場合が多いのです。

●胃腸のトラブル

「腹黒い」という言葉があるように、胃や腸は、いろいろな思いがたまりやすいところです。そのため、感情的な問題や、何かを思いつめているようなとき、胃や腸のトラブルになって出てくることが多いのです。

●肝臓、腎臓、胆嚢《たんのう》、すい臓のトラブル

これらは、怒りの臓器です。怒りっぽい人、短気な人は、ここにトラブルが起こりやすいのです。怒りと悲しみが交互にくる人は、すい臓にきます。ただ怒るだけでなく、寂しがり屋だから、悲しくなってしまう人です。

●婦人科系のトラブル

母性を忘れかけているときに、多く見られます。実際に子どもがいる、いないにかかわらず、人に対して、包み込むような気持ちが持てない場合です。男性なら男性器や泌尿器系に、同じことがいえます。人に対してクールになりすぎているとき、たとえば膀胱炎《ぼうこうえん》になったりすることがあるのです。冷え症も同じで、人に対して温かい気持ちが持てないときになることが多いようです。

●皮膚のトラブル

ひとつのことに悩みすぎて、神経を使っている場合、根をつめて考えすぎて、霊的に消耗している場合、皮膚疾患になることがあります。考えすぎることによって、毛穴がつまるのです。アレルギーによる皮膚疾患は、根底に人や社会に対する拒絶感がある場合が多いようです。「肌に合わない」と思っているのです。

●痔《じ》

強情になっているとき、頑張りすぎているときにかかりやすい病気です。また、自分が悪いとわかっていても、絶対に方針を変えない頑固さがあるときや、少し人の気持ちに鈍感になっている場合もそうです。また、「お尻に火がつく」という慣用句からわかるように、いつも「忙しい忙しい」と力を入れすぎているときは、笑い話のようですが、痔になりやすいのです。

●足腰のトラブル

目下の人からの念による場合が多いです。目下の人、年下の人を、きちんといたわっていない場合や、かわいがっていないときに、足腰にきやすいのです。腰痛など、腰のトラブルは「傲慢になっていませんか」という警告ととらえることができます。「腰が低い」という言葉は謙虚な態度をいいます。人に頭を下げなかったり、自分が一番偉いと思ったりしていると、腰を痛めて、「腰を低く」せざるをえなくなることが多いのです。

●むくみ

不平不満をため込んでいる場合に起こります。ため込んで、外に出せないから、それが体のむくみとなって現われるのです。

●ケガ

ケガは、基本的に不注意が原因です。ただ、どこをケガするかによって、メッセージがわかる場合があります。目上の人や、同僚とトラブルがあった場合、上半身をケガすることがあります。手をケガするのは、「手を出してはいけないよ」「仕事を広げすぎているよ」といった警告でもあります。反対に、目下の人に対してやさしくしていないとき、足を捻挫したり、腰を痛めたりするなど、下半身にトラブルが生じることがあります。足のケガの場合は「今、それをしてはいけない」という足止めのメッセージともとらえられます。

【本当の癒し】　たましいの声に気づくこと。そのとき初めて、本物の癒しが訪れます。

病気になったり、ケガをしたりしたときは、本当に痛かったり苦しかったりするでしょう。でも、その中で、自分自身のたましいの課題を見つめ直すこともできるし、本当の自分を知ることもできます。だから、病気やケガには感謝をしてもいいぐらいなのです。あとで大きな病気へ発展する前に、たましいが発するメッセージに耳を傾け、自分自身の課題に気づいてください。本当にすこやかな体になりたいなら、自分自身の心を変えなければいけないのです。一時的な対症療法で、ひとつの症状を抑えるだけでは、本当の健康は手に入りません。

【たましいの声】　病気や痛み、不調の意味を知りたいときは、静寂の中でたましいの声にじっと耳を傾けてください。あわただしく、何でも機械的に物事を考える人には、たましいの声は届きにくいのです。

【新しい道】　病や障害を克服しようと努力することで、別の道を生きることができるようになったり、人生を大きく輝かせたりすることができます。その中で、たましいが強く豊かになるチャンスを秘めているのです。

【自分で決める】　自分の体とたましいのことは、自分で決めなければいけません。

そのためにも内観が必要なのです。今の自分にとって、本当に必要な癒しとは何なのか、それは自分が一番よく知っているはずです。

今はさまざまな健康法などの情報があふれています。けれど、何が合うかは自分にしかわかりません。「人にすすめられたから」という理由で、むやみに受け入れてはいけません。自分のたましいと、自分の体の声によく耳をすませてください。すべては自分の責任なのです。

【心のケア】　私たちは体の疲れには気を遣ってケアをしようとしますが、心の疲れにはけっこう無頓着です。けれど、心が疲れているということは、心の中の愛の電池が切れかかっているということ。心の疲れこそしっかりケアする必要があるのです。

心が疲れていると、体も疲れてきます。心と体は連動しているからです。どんなに眠っても、気分がスッキリしないとき、あるいは誰かを妬んだり、憎んだりする気持ちを振り払えないとき、それは心が疲れている証拠です。愛の電池が切れかかっていることを伝えるシグナルなのです。

【体と心】　自動車にたとえると、霊体（たましい）が運転手、肉体が車体です。車体が丈夫でも、運転手が居眠りしていたり、ぼんやりしていたりしては、どこにも行けません。本当に疲れを癒そうと思うなら、両方をしっかりメンテナンスすることが必要です。

【心を疲れさせるもの】　怒り、悲しみ、憎しみ、妬み……。そういったネガティブな思いが、心にうずまくとき、私たちの心はグッタリと疲れます。心が「神」から離れているとき、私たちは疲れ、生きる気力を失ったり、虚脱状態になったりするのです。

神とは、この世のすべてのものを慈しみ、いとおしむ「愛」のこと。真・善・美のことです。私たちの心の奥底にも、神がいます。私たちが小説や絵画、音楽、美しい自然などにふれて感動するのは、そこに人生の真実や、善なるもの、美しいもの、そして愛が宿っているからです。それらにふれたとき、私たちの心の奥底にいる神が目覚めます。だから喜びがあふれてくるのです。ところが、ネガティブな思いにとらわれると、この神からしだいに遠ざかっていきます。

そのとき、私たちはエネルギー源から切り離された状態になり、疲労感が押し寄せてくるのです。

【神との距離】　もし自分が神だったら、あんなことで怒っただろうか、人を責めただろうか、クヨクヨしただろうか。そういう視点で振り返ってみると、自分がどれだけ神から遠く離れていたかがわかります。それこそが、心の疲れの原因なのです。

【神に戻る】　私たちが神のように生きられれば、そのとき、心も体も本当にすこやかに、心地よくなります。「神のように生きる」とは「神に近づく」ことではありません。「神に戻る」ことです。もともと、私たちの中に神は宿っているのですから。

【ゆだねること】　ガーディアン・スピリットの存在、神の存在を心に思い描き、自分ひとりで生きているわけではないこと、力を尽くしたあとはゆだねても大丈夫なのだと信じることで、癒しの効果が高まります。

【「好き」を見失うとき】　好きな人がいない。情熱的に誰かを思うことができない。これも、じつは心が疲れていることを示すサインのひとつです。

人は心が疲れると、自分以外のことを考える余裕がなくなりがちです。愛とは、自分以外の人のことを、自分と同じか、それ以上に大切に思うこと。疲れているときには、それがなかなかできなくなってしまうのです。そんなときは、ひとりでゆったり過ごす時間をつくってください。音楽を聴いたり、映画を観たり、昔、好きだった人のことを思い出したりしてみましょう。そういう心のリハビリ、心のメンテナンスは、どんな人にも必要なのです。

【心を元気にする小道具】　この世は物質界ですから、物質を上手に使うことも必要です。メイクも洋服もアクセサリーも、自分の波長を高め、心を元気にする小道具だと考えましょう。

メイクにもファッションにも、その人自身が表われます。今の心のあり方が、はっきりと反映されるのです。メイクやファッションを変えたい気持ちのときは、周囲のエネルギーが変わってきたということ。運気の変わり目です。その波をポジティブにとらえて、自分の心の求めるままにイメージチェンジをしてみてください。「どう変わりたいのか」をはっきりと意識するのがポイントです。そうすることで、波長が高まり、運気がますますいい方向に変わっていきます。

【浄化の日】　月に1日は「浄化の日」と決めて家中を掃除しましょう。心にエネルギーが充填されます。

月に1度、徹底的に家を掃除しましょう。自分の手で掃除をすることで、家の中にバリアが張られ、外部から邪悪なものの侵入を防ぐ効果があります。部屋中に掃除機をかけ、寝具を整え、お風呂場を磨いてください。夜は自分へのごほうびとして、おいしい料理をいただき、きれいなお風呂でリラックス。最後にメディテーションをして眠りにつけば、疲れはとけて消えていきます。これは、家にいながら、旅行に行ってリフレッシュするのと同じ。そういう楽しみの日常版です。月に1日、こういう日があれば、翌日からの気分がまったく違います。

【旬の食べ物】 食べ物は、光、水、土、すべてのエネルギーが寄り集まってできたもの。旬の食べ物は、地球からのプレゼントだといっていいでしょう。それを自分の体に取り込むことで、パワーがみなぎってくるのです。

人間にとって、自然にふれて、そのエネルギーを分けてもらうことはとても大切なこと。季節ごとに1度は自然の中に出かけたいものです。定期的に自分を自然の中に「放牧」することで、枯れかけていた気力、体力をよみがえらせることができるのです。どうしてもその時間がとれない人は、旬の食べ物をいただくことでも、自然のパワーをもらうことができます。旬の食べ物は、その時期にしかないエネルギーに満ちています。健康に生き生きと過ごすためには、できるだけ旬のものをいただきましょう。

【オーラを強くする食事】 「食べるもの」が私たちの体と心をつくります。体と心が喜ぶものを食べれば、誰でも元気に美しくなれるのです。豊かな食事こそが、私たちのオーラを強くし、美しく輝かせてくれます。

【大地のエネルギー】　大地のエネルギーとは、大地に根づく力、たくましく生きる力を与えてくれるものです。植物も人間も、まず地面に根づくことから始まり、芽吹いて、花を咲かせます。大地のパワーを取り入れることは、生きる基本です。

大地のエネルギーを十分に蓄えているのが、ダイコン、ゴボウ、山芋などの根菜類です。これらは、地面に出ている部分からは太陽のエネルギーも吸収しています。さらに大地に含まれる豊かな水のエネルギーも吸収しています。大地と太陽と水、3つのエネルギーをバランスよく含んでいる理想的な食材なのです。

【命のエネルギー】　豆はこれから芽を出すもの。たましいのエネルギーに満ちています。豆は胎児の形に似ているでしょう。小さな一粒に命が凝縮されているのですから、まさに「畑の胎児」です。

根菜類について、エネルギーが豊富なのが、豆類です。これから生長するものという意味では、豆と並んで、タラの芽、ニンニクの芽なども、非常にエネルギーが豊富です。これらの自然の「芽生えの力」を借りて、体内にエネルギーを吸収してください。

【水のエネルギー】　水は、体の中をめぐり、ため込んだ余分な水分や汚れを体外に排出してくれる大切なものです。大地の中を通ってきた天然水は、大地のエネルギーや、土の中に含まれていたであろう草木のエネルギーなど、大きなパワーを蓄えています。それだけ浄化のパワーも大きいのです。

【香りのエネルギー】　香りには癒しのエネルギーがあります。芳しい香りをかぐと、その瞬間、安らかな思いが胸を満たすでしょう。何か懐かしいようなせつないような気分がよぎるかもしれません。それが香りのパワーです。

【色のエネルギー】　色にはエネルギーがあります。明るい色は情熱的な明るい気分に、寒色系の色は、気分をクールダウンさせて、落ち着いた気分にさせてくれます。色のパワーを意識して、暮らしに取り入れましょう。

【音のエネルギー】　音にも、「音霊《おとたま》」というエネルギーがあります。そのパワーが、私たちの気分を大きく左右します。

高揚する気持ちを鎮めたいときには、テンポを抑えた音楽を、元気を出したいときには、テンポの速い音楽を流してみましょう。自分の内なる心へ向かいたいときには、部屋の中に静かなメロディだけの音楽をBGMとして流しましょう。また、音楽に限らず、風の音とか、鐘の音といった音霊も効果的です。

【石のエネルギー】　水晶、ローズ・クオーツ、ラピスラズリなど、石は、地球から生まれたもの。地球から命を与えられているものです。植物や人間と同じように、石にもエネルギーが宿っています。

【植物のエネルギー】　疲れたときは、植物にふれてください。見るだけでなく、葉っぱにふれると、より多くのエネルギーがもらえます。

【植物のシグナル】 植物は、ときに人間の身代わりになって枯れてくれることもあります。植物が枯れないと、人間が枯れるのです。

家に飾った観葉植物や花がすぐに枯れてしまうというときは、家族に注意してください。誰かが悲しんでいたり、疲れていたりしませんか。植物はそういうシグナルを出してくれているのです。植物が枯れたら、身代わりになってくれたことへの感謝の気持ちを忘れずに「またエネルギーを分けてください」とお願いするつもりで、新しい緑や花を飾りましょう。決して絶やしてはいけません。

【海と山】 疲れて弱気になっている自分を励ましたいとき、癒しの力を与えてくれるのは山。嫌なことが続いてイライラしているとき、そのネガティブな思いを浄化してくれるのは海です。

エステにたとえると、海の効用は「垢すり」のようなもの。心身にたまった垢を洗い流してスッキリさせてくれます。山の効用は「パック」をして肌に栄養を閉じ込めるのと同じ。きれいになった心身に、新たなエネルギーを充填してくれるのです。旅に出るなら1泊目を海、2泊目を山にするのが理想的です。頑固な疲れもとれて、生まれ変わったようにリフレッシュできるでしょう。

【海の浄化作用】

海へ行くことは一種の除霊であり、お祓いです。

海水に含まれる塩には、強い浄化作用があります。ですから、玄関の盛り塩をはじめ、お清めには塩が使われるのです。もちろん海そのものにも浄化パワーはあります。石油を積んだタンカーが座礁して油が流出しても、海はその汚れを飲み込み、復活するでしょう。どんな海にも汚れを飲み込み、清めるパワーがあるのです。磯の香り、波の音の音霊の中にも、浄化と癒しのエネルギーはあります。心身に汚れがたまって疲れを感じたときは、ぜひ海を訪れ、その浄化のエネルギーに包まれてください。

【ゴッドハンド】　マッサージをされると、体のエネルギーの流れがスムーズになります。いいマッサージ師とは、ハンドパワーの強い人。体のどの部分のマジックテープがズレているのかがインスピレーションでわかる人です。これはもう天性のもの。神様からの贈り物です。

私たちの体は、肉体と、その上に重なる幽体、その全体を包み込む霊体からなっています。疲れているときは、肉体と幽体のつなぎ目が不調和を起こしているのです。マジックテープがズレていると考えてください。マッサージは、それをきちんと正しい位置にとめ直す行為です。そんな人のハンドパワーを、疲れた体の必要な場所にきちんと当ててもらうと、本当にラクになります。あなたの体を理解して、癒してくれる、相性ぴったりのマッサージ師さんをぜひ見つけてください。

【オーラ治療】　子どもが転んで膝をすりむくと、お母さんはその患部に手を当てて、「痛いの痛いの、飛んでいけ」というでしょう。それだけで子どもは痛みがやわらいだような気になるものです。これがオーラ治療です。

人間の体はマグネティックな力とオーラを同時に放っていて、それらを一番強く外に放出しているのが、手のひらなのです。ここから出るパワーを痛みのある部分に注ぐと、痛みを除くのに役立ち、自然治癒力を増すことにもなります。私たちは、無意識のうちにこのような療法を日常的に行なっています。自分の体のどこかが痛むとき、自然に手のひらでそこをさすったり、ほかの誰かが痛がっているときに、そっと手のひらを当ててあげたりするのも、すべてオーラ治療です。

【「思い」の力】　自分の「手」を利用して、「どうか癒しのパワーを与えてください」と依頼するとき、「思い」が最も大切です。極端なことをいえば、手をケガして使えない場合でも、「癒してください」という思いさえあれば、伝わります。

【体全体を癒すツボ】　おへその下あたり（丹田）には、体全体を癒すツボがあります。この部分にエネルギーが充満していないと、健康とはいえません。

「腰を据えて仕事にかかる」とか「腹が据わっていないとダメだ」というように、お腹周辺は大事な部分です。風邪をひきにくい体にするためにも、寝る前にお腹のツボを手で押さえましょう。蓋をするということではありません。ハンドパワーを使って、ここから体の中にエネルギーを満たすのです。そうすることで、体全体を癒すことになります。風邪をひいたかなと思ったら試してください。

【死別の悲しみ】　死は決して悲しいことではありません。たましいがこの世での経験を終えて、故郷に戻ったということです。向こうの世界では、拍手で迎えられているのです。

現世では、死はとても悲しいことだととらえられています。けれど、スピリチュアルな見方をすれば、死とはこの世の学びを卒業し、たましいのふるさとへ帰るということ。お葬式は卒業式なのです。卒業式の涙は、悲しみだけではなく、祝福の意味もあります。よく頑張って勉強しましたね、新しい旅立ちですね、という気持ちで卒業生を送り出すはずです。人の死も同じこと。別れは悲しいけれど、死を迎えない人はこの世に誰もいません。たましいのふるさとに戻れば、必ずまた会えるのです。私たちはたましいの存在です。肉体だけの存在ではありません。死とは肉体を脱ぎ捨てて、もとのたましいだけの存在に戻ること。決して悲惨なことではないのです。

【生きる意味を見つめ直すとき】　誰かの死を間近で見る、という経験にも意味があります。「生きる」とはどういうことか。何のために自分は生きているのか。それをもう一度、立ち止まって考えてみなさい、というメッセージなのです。

親しい肉親や友人に死が訪れたとき、人は誰でもショックを受けます。たとえ見知らぬ人でも、目の前で交通事故にあうのを目撃すれば衝撃を受けるでしょう。人の死が身近に起こるときは、「あなたの人生、あなたの生き方は、今のままでいいですか？　死ぬときに悔いは残りませんか？」という問いかけをガイド・スピリットからされているのです。「悲しい」あるいは「怖い」という感情がわき起こるのは当然ですが、それだけにとどまらず、深く自分を見つめてください。自分の人生、自分の命について考えてください。

【命の長さ】　長生きするかどうか、ということは、あまり重要ではありません。どのように生きて、どのように死ぬか、ということのほうが大事です。

人は、物質的に満たされることを目標に生きているわけではありません。贅沢なものに囲まれ、楽しい思いをするために生きているわけではないのです。「長生きすること」も物質的なことだといえます。たとえ命が短くても、その間に多くの人を愛し、愛され、深い経験を積むことで、たましいを成長させることができたなら、その人の人生は最高にすばらしいものだったといえるのです。

【夢というきっかけ】　夢は、それに一喜一憂したり、現世利益に利用したりするべきものではありません。自分のたましいを振り返り、より豊かにするためのきっかけのひとつなのです。

夜、眠っているときに見た夢の中で、蛇が出てきたから金運がアップする、など単純に考えないでください。夢は確かにスピリチュアル・ワールドからのメッセージを伝えてくれます。眠っている間、私たちはそこに戻り、たましいにエネルギーを充填しているからです。けれど、夢のメッセージがストレートにわかることは、ほとんどありません。意味のわからない不思議な夢がほとんどです。スピリチュアルな世界と現世では時間の流れが違うからです。不吉な夢、吉兆を示す夢など諸説ありますが、それに一喜一憂するよりも、まず日常生活を見直してみましょう。夢が何を伝えようとしているか、自分自身を振り返ってみればわかるはず。夢を自分を見つめるきっかけにすればいいのです。そうすることで、毎日の生活が変わり、前向きな心を取り戻せます。

【夢の警告】　悪夢を見るときは、現実での自分のたましいがあまりにも低いレベルにある、ということです。「今、あなたのたましいはレベルが低くなっていますよ、生活や生き方を見直しなさいよ」というメッセージなのです。

現実の世界でストレスがたまっていたり、ネガティブな気持ちになっていたりして、たましいのレベルが低い状態だと、睡眠中にサマーランド（幽界の上層部、中層部）に行くことができず、下層部に迷い込んでしまいます。そのとき悪夢を見るのです。たとえば泥沼に足をとられたり、何かに追いかけられたり。ひどい場合は、誰かに殺されかかったり、反対に誰かを殺したりする夢の場合もあるでしょう。起きてから「夢でよかった」と胸をなでおろすとき、同時に今の生き方を振り返ってみてください。改めなければいけない点が、必ず見えてくるはずです。

【夢のメッセージ】　自分の目標をしっかり定め、自分の人生をより深めよう、高めようとしているときに、その結果として夢が何かを伝えてくれることがあります。けれど、夢がタナボタ的に幸運を知らせてくれることはありません。

夢から何かを得ようとするのは、無意味なこと。あくまで、あとになって気づかされるのが、夢のメッセージです。夢が自分を変えてくれたり、夢が何かを解決してくれたりするわけではないのです。自分の生活の中で自分を深く内観し、自分を清めたり、強くしようとしたりしていると、夢の中で、ごほうびのように安らぎが得られたり、高いご神霊とのご縁が結ばれたりする場合もありますが、それは日々の努力の結果にすぎません。

【予知夢】　これから起こる出来事を知らせてくれる夢が、予知夢です。予知夢には、「こういうことが起こるから、心の準備をしなさいよ」「うろたえずに、頑張りなさいよ」といった、励ましや警告などの意味合いがあります。

【テレパシー夢】

友人同士で同じ夢を見たりする場合、お互いの意思が通じあっていて、眠っている間に、たましい同士で会話をしているのです。これがテレパシー夢です。人間のつながりは、直接会ったり、話したりすることだけではないので、こういう現象が起きるのです。

こういう夢を見る場合、相手も自分のことを思っていてくれるという、ひとつの証になります。ただし、それが自分の思い込みである場合も多いので要注意です。どんな夢の場合もそうですが、見る人の人格が高くなければ、その夢はアテにはできません。思い込みが強い人は特に、夢を自分に都合よく解釈したり、間違った受け取り方をして不安になったりしやすいので、その点は気をつけてください。

【自分を厳しく見つめる】

夢でメッセージを受け取ったら、今度はその現象を自分でしっかりと分析しなくてはいけません。自分はどう思うか、どう判断するか。自分に都合のいい解釈をしないよう、自分を厳しく見つめることが大切なのです。

【簡単に得られる答えはない】 好きな人の心は、自分で頑張って努力して、知るしかありません。たとえそれで傷ついたとしても、たましいが削られただけのこと。より深く輝くためのステップです。それを怠ったまま、夢を利用して相手の気持ちを知ろうとしても、ガイド・スピリットは黙っています。簡単に答えを得ることは、あなたのためにならないからです。

【スピリチュアル・エナジー】 自分で自分のたましいを探り、たましいの声に耳を傾ける。五感以外の感性を信じ、自分が見守られている存在であることを信じる。そういう感性を持つことで、スピリチュアル・エナジーは開かれていきます。

スピリチュアル・エナジーとは、霊能力のことです。これをまったく持っていない人はいません。どれだけスピリチュアル・ワールドを感じる心が開かれているか、そのパーセンテージが違うだけです。最もよく開かれているのは、生まれたばかりの赤ちゃんです。大人になって、物質的な価値観を持つようになると、この力は消えていきます。けれど、夢日記をつけるなどして、見えない世界からのメッセージを真摯に聞こうとする姿勢があれば、再び扉は開きます。

【光に近づくこと】　本当に癒されるために必要なことは、自らが光に近づいていくことです。自らがより高いたましいになるということ。大人の感性を持ち、他者の幸せを願い、世の中全体の幸福を願うことです。

健康情報を調べたり、サプリメントを試したりするのもいいでしょう。けれど、本当に心身ともに癒されたいと思うなら、自らのたましいの存在に気づき、その成長を一心に願うことです。感性を高めて、スピリチュアル・ワールドからのメッセージに耳をすませてください。自分自身を変えようと努力してください。この世に生まれた究極の目標はそこにあります。それができたとき初めて、本当の安らぎが与えられるのです。

Part 5

〈幸福になる習慣箱〉

さあ、舞台に上がりましょう。主役はあなたです

【幸せへの方程式】　幸せになるには、一生懸命、ひたむきに生きようとするほかありません。すべて基本は「自分」です。自分の心と自分の行動が幸せをつくるのです。

【なくてはならないもの】　笑顔は、幸運を呼び込むために、なくてはならないものです。笑顔がなければ、どんな美人でも、幸運には恵まれません。仕事もうまくいきません。一時的にはうまくいくように見えても、長続きはしないのです。

逆にいうと、笑顔さえあれば、顔がどんな造作であっても、幸せになれるということです。笑顔の素敵な人のまわりには、いい人が集まるからです。仕事は人で決まりますから、仕事もうまくいくのです。

【幸運を呼び込むために】　「不運」を断ち切りたいなら、毎日を明るくポジティブな気持ちで過ごすこと。人に感謝し、喜びの気持ちを持つことです。

人の幸福を心から喜び、人に親切にし、毎日を明るく過ごす。人の悪口をいったり、人を妬んだり憎んだりしない。これだけのことで、幸運はいくらでもめぐってきます。心に抱いている感情と、それがつくり出すスピリチュアルなエネルギーは、確実に自分のもとに戻ってくるのです。

【幸運の前ぶれ】　不運期とは、暁の前の暗闇のこと。幸運期の前ぶれです。闇の中でも、恐れず脅えず、静かに自分を見つめてください。

物事が悪いほうにしかいかない。そんなときこそ、できるだけポジティブに、笑顔で過ごすようにしましょう。不運な時期があるからこそ、私たちは成長できます。そして、確実に成長できたとき、次の幸運期が訪れるのです。

【不運期の乗り越え方】　悪い時期があってもいいのです。大切なのは、なぜ今悪い時期がきているのか。この不運期から何を学ぶべきなのか。それを知ることが最も大切なのです。

占いで「今は不運期です」といわれても、落ち込む必要はありません。その原因をよく分析し、反省してやり直せばいい。それだけのことです。たとえば人をうらやんでばかりいたり、努力を怠っていたりすれば、不運と思われる現象が起きても当然です。その反省こそが必要なのです。占いは自分の心の励みとして利用するにはいいものですが、それに縛られて萎縮したり、行動を制限されたりしてはいけません。たとえ不運にぶつかっても、真っ向からそれにぶつかって、苦しむからこそ生まれる感動もあるのです。

【占いが当たるとき】　いい運命をつくろうと、必死にデコレーションを工夫している人には、占いは当たりません。宿命のまま、スポンジ台をむきだしにして、何の努力もせずに生きている人は、バッチリ占いが当たってしまうのです。

宿命は持って生まれたもの。ケーキのスポンジ部分です。運命は自分で変えられるもの。デコレーションの部分です。私たちは、宿命の欠点を運命でカバーしながら生きています。占いは宿命の部分をいい当てるもの。占いが当たらないということは、自分で努力して運命を切り開いているということです。逆に、占いが当たるときは、努力を怠っていないかどうか、振り返ってみる必要があるでしょう。幸せは、努力しないと手に入りません。占いは、努力のきっかけのひとつにするべきものなのです。

【ツキがない時期】　不運期は、自分が持って生まれた弱い部分、生き方下手な部分が前面に出てしまう時期。運命のデコレーションでカバーできないスポンジの欠点が現われる時期です。自分をよく見つめて分析し、その宿命を乗り越えようとしてください。すると、自然に物事への対処の仕方が変わってきます。流れをいいほうに変えることができるのです。

【耐えて待つ】　ツキがないときは、じっと耐えて待つことが必要な時期でもあります。大きく動くより、自分の内面にある未熟な部分をじっと見つめてください。

不運期に転職をしたり、恋人との別れを決めたりするのは、あまりいいことではありません。自分の外に大きな変化を求めるよりも、自分の内側を高めるために何かを始めましょう。そして、「いい種まき」をすることです。人に親切にしたり、笑顔であいさつしたりする、といったことでもいいのです。反対に「愚痴をこぼす」「人を恨む」などの「悪い種まき」はやめましょう。ネガティブな感情に支配されると、ますますツキが離れていきます。そんな努力を続けながら、自分の課題を乗り越える努力をしてください。

【運の分かれ目】　自分の人生がうまくいっているときに「いい人」でいることは、難しいことではありません。下り坂ばかり、何をやってもうまくいかない、そんなときでも人にやさしくできるかどうか。そこが分かれ目なのです。

人生には、いいときもあれば、悪いときもあります。悪いとき、自分の人生がうまくいっていないときに、イライラして人に八つ当たりしたり、妬んだりせず、人の喜びをともに喜ぶことができるかどうか。それが試されているのです。ですから、不遇なとき、不運なときほど、人格を高めるチャンスだといえるでしょう。私たちは、そうやって自分のたましいを磨くために、この世に生まれてきているのです。

【人生の意味】　この世は、つらい経験をしながら、大切なことを学ぶ場所。人はそのために生まれてきます。決して安楽を求めて生まれてくるのではありません。

【光と闇】　人生には、必ず光と闇があります。光だけの人生はありえないのです。

【嫉妬】　人をうらやむのは、相手の中身を本当には見ていないからです。どんなに幸せそうに見える人でも、必ずその分のリスクを背負って生きています。今の一瞬にとらわれるのではなく、長い目で見ればわかります。

今この瞬間の物質的な栄華に目を奪われると、人をうらやみたくなります。けれど、その栄華の背後にあったであろう闇の部分、その人が今までしてきた努力、これからするであろう苦労などを見通す感性を持ってください。すると、人はみんな平等であることがわかります。自分の幸せに気づくこともできるようになるのです。

【人生は念力とタイミング】　強運になるポイントは念力とタイミング。子どものころに遊んだ縄跳び遊びと同じです。

縄跳び遊びをするとき、縄の中に入っていくには、勢いが必要です。「今から入るぞ」という思いを持たなければ入れません。その思いが念力です。次に大切なのは、タイミングです。入るタイミングを見計らわないと、縄が足にからんでしまうでしょう。人生すべてにおいて、この念力とタイミングがものをいいます。強い思いを持たず、「ただなんとなく」生きていたのでは、人生を無駄にすることになりかねません。ネガティブな思いにとらわれて、足を引っ込めるのではなく、強く願う力と綿密な計画で、人生を切り開いていきましょう。

【10年先のビジョン】　バスや電車に乗るとき、行き先がわからないまま乗る人はいません。人生も同じ。自分はどこへ行きたいのかを、はっきりと映像化することが大切です。

10年後の自分を思い浮かべてください。その映像が具体的に思い浮かばない人は、なりたい自分に到達することができません。「10年先には、自分はこうなりたい」という願望を持ち、それを具体的に映像化することで、念力が強まります。視覚化することが大切なのです。イメージがリアルであればあるほど、念力は強くなります。それを実現しようとする力も強くなるのです。決して焦る必要はありません。10年先のビジョンを思い描き、それを実現するために今年は何をすればいいか、来年は何を始めるか、順に計画を立てていきましょう。

【逆境のとき】　逆境だと思えば苦しいだけ。でも、新たな挑戦の場、経験を積むためのレッスンだと思えば、きっと道は開けてくるはずです。

たとえば、望みの学校に入れなかった、意にそまない部署に異動になった。そんなときは誰でも落ち込みます。けれど、そんなときこそ波長を高めることが大切です。「10年後、こんな自分になっていたい」というビジョンを強く思い描きましょう。そして、今の不本意な場所で、どんな新しい体験ができるのか、それを考えてみてください。希望の場所では体験できなかった、思いもかけないことが体験できるかもしれません。その場所でしかできない学びが、必ずあります。人生は常に冒険です。冒険の中で新しい体験を積むこと。それが生きる目的なのです。

【失敗の意味】　失敗をするために、私たちは生まれてきました。失敗を乗り越えるために、今、ここにいるのです。

過去の失敗がいつまでも忘れられないとき、心の中にあるのは、真の反省ではなく、プライドです。「人から低く見られるのではないか」「この私があんなことをするなんて」という高すぎるプライドが心を苛《さいな》んでいるのです。本当に反省できれば、いつまでも悔やむ必要はありません。心を切り替えて、「もうあんなことはしない」と決めればいいだけです。私たちはクヨクヨと思い悩むために生まれてきたのではなく、失敗から学び、成長するために生まれてきたのです。その真理をぜひ理解してください。

【主人公になる】

あなたの人生の主人公はあなたです。主人公は、ひとりで決めて、ひとりで行動しなければいけません。その意味で、人はみな「孤独」です。「孤独でなければいけない」のです。

孤独には2種類あります。ひとつは、自分が人に心を開いていないことからくる孤独。もうひとつは、主人公ならではの孤独です。前者は、自分の周囲にあるささやかな愛のひとつひとつに気づくことで解消されます。後者は、人間にとって本質的に必要な孤独です。それを恐れたり、不安に思ったりする必要はありません。むしろ誇りに思うべきです。主人公はいつもひとり。だからこそ、すべての決定権があります。ほかの誰でもない自分らしさを大切に、自分の意志と力で人生を切り開き、堂々と歩んでいくことができるのです。

【人生の練習】　自分の行きたいところへ、自分で計画を立てて行ってみてください。頼る人は誰もいません。嫌でも自分で行動し、自分が主役にならざるをえないのです。そんな練習をしてみてください。人生という旅も、まったくそれと同じなのです。

【いってはいけない言葉】　「できない」「無理」「嫌だ」「つまらない」「わからない」などという否定的な言葉をいってはいけません。それは自分にはね返り、周囲にも伝染します。

言葉にはエネルギーがあります。愛の言葉には愛のエネルギーが、憎しみの言葉には憎しみのエネルギーが宿るのです。幸せになりたいなら、否定的な言葉を決して使ってはいけません。もしいってしまったら、その瞬間に打ち消す習慣をつけましょう。「できない」といったときは「いや、私にはできる」と口に出して、マイナスのエネルギーを打ち消してください。そして「どうすればできるか」を考えることです。そういう習慣を続けていくと、人間性が明るく変わってきます。運が開けてきます。言葉だけで、人生は変わるのです。

【愚痴を感謝に】 人に愚痴を聞いてもらったとき、絶対に必要なのは、相手への感謝です。「聞いてくれてありがとう」という気持ちを伝えることで、愚痴というマイナスのエネルギーが、感謝というプラスのエネルギーに転化するのです。

愚痴をいいたいときは誰にでもありますそれは我慢せずに人に話してもかまいません。ただ、ポイントが3つあります。ひとつは、話す前に「愚痴をいいたいんだけど、聞いてくれる?」と相手に断っておくこと。相手の状態を確認してから話すことです。次に、聞いてもらったあとで、必ず感謝すること。感謝のエネルギーで、愚痴というマイナスのエネルギーを打ち消してください。3つ目は、聞いてくれた人のために、もういわないこと。愚痴をいいたかった自分から一歩、成長することです。それが聞いてくれた人への思いやりです。

【心の美人】 いつも笑顔でいることは、なかなかできません。何があっても笑顔で乗りきる強さがある人。悩んでいる人を笑顔で癒せるやさしさのある人。周囲にいる人すべてに、笑顔という愛を与えることができる人。つまり、心が美しい人でなければ、いつも笑顔でいることはできないのです。

【人生を決めるもの】　造作ではなく、心が美しいかどうか。それが、すべてを決めるのです。

【美人に生まれるという宿命】　美人に生まれるというのは、必ずしもいいことばかりではありません。たましいを磨くチャンスが少ないからです。

【手放す勇気】　あきらめを学ぶのは、とても難しいことです。あきらめは、痛みを伴います。だからといって、あきらめずに執着すると、しだいに心は疲れていきます。たとえ苦しくても、どちらかを手放す勇気が必要なときもあるのです。

【ポジティブな生き方】　ポジティブに生きるとは、ガツガツと成功や幸福を求めて突き進んでいくことではありません。喜びを持って生きることです。自分のしている仕事、生きている環境、周囲の人々に対して、喜びの心で接することなのです。

ただ前に前にと突っ走ることが、ポジティブなのではありません。そんなふうに考えていると息切れし、挫折するでしょう。今、自分が生きている、そのことへの感謝と喜びを常に心に抱き、周囲に表現していくこと。それがポジティブに生きるということです。感謝と喜びが心にある人は、息切れしません。たとえ疲れても、またすぐに元気になれるのです。

【喜びと成功】

喜びがあるから、結果として成功がついてくるのです。成功を求めて、何かをしてきたわけではありません。この順番を間違えてしまうと、人は人生の迷子になってしまいます。

「自分の力で成功してみせる。自分にはできる」という考え方で生きていると、やがて必ず不安になります。試練が訪れたとき、「私はできるはずなのに、どうしてできないんだろう」と落ち込むことになるのです。がむしゃらにひとりで頑張ろうとする必要はありません。感謝と喜びを胸に、ゆったりとした気持ちで、今、自分にできること、するべきことをすればいいだけです。

【天にゆだねる】　本当に成功している人は、「天にゆだねる」ことを知っています。自分の力だけでここまできたのではないのだから、「まあ、いいか」「なんとかなる」と思えるのです。無駄に苦しむことがありません。

私たちは、みんな神に見守られている存在です。苦しいとき、何かにいきづまりを感じるときは、それを思い出せばいいだけなのです。そして、本当に好きなことに、喜びを持って取り組もうとする純粋な気持ちを取り戻してください。それこそが、ポジティブ・シンキングです。そのとき、私たちの心が疲れることはありません。苦しいことがあっても乗り越えられます。

【未来予想図】　幸せは、誰かが運んでくれるものではありません。夢は、ただ漠然と見るものではありません。きちんと計画し、努力して、自分でかなえていくものです。

幸せになるために、自分の未来予想図をつくってみましょう。まず自分が何をしたいのか、その夢を描くこと、次にそれをいつするのか、時間軸にそってまとめること、最後に夢の実現のための方法を具体的に計画すること。この3段階の書き込みを、きちんとするのとしないのとでは、未来が確実に違ってきます。この未来予想図は、その通りではなくても、それに近い幸せを必ず連れてきます。そういう不思議な力を持つ予想図なのです。

【夢見る力】 人はみんな夢を抱く力を持っています。夢見る力こそ、生きる原動力です。その夢が大きいか、小さいか、そんなことはまったく関係ありません。

「私には夢がない」という人は、誤解しています。夢というのは「自分が経験したいと思うことの一覧」です。そのリストに何ひとつ書けない人はいないでしょう。どんなに小さくても、地味でもいいのです。自分をきちんと見つめて分析し、興味のある分野の情報を集めたら、必ず夢に気づくことができます。それをすれば自分が生き生きできる、充実できるということが、誰にでも必ずあるのです。

【何かに迷うとき】　迷うときは、自分自身の心の内面をじっくり見つめてください。内観することで、今のあなたに本当に必要なものがわかってきます。答えは自分の中にあるのです。

迷ったり、焦ったりするときほど、冷静に自分自身を見つめる時間を持つことが必要です。そして、今起きていることの本当の意味を考えてください。結婚を迷っているあなたは、じつは結婚にあこがれているだけで、本当に人を愛する覚悟ができていないのかもしれません。転職を迷っている人は、じつは今の人間関係が嫌で逃げたいだけかもしれません。今、自分の置かれている本当の位置が見えれば、自然に迷いはなくなります。今、本当にしなければいけないことが見えてくるからです。そのためにも、ひとりの時間を大切にしてください。静寂の中で自分を見つめることが必要なのです。

【迷いを突き抜けるコツ】　迷うということは、自分を振り返るひとつのきっかけであり、チャンスです。自分の「思い」「言葉」「行動」をポジティブにすること。すべてはそこから始まります。この3つが前向きになれば、道は自然と開けてくるのです。

【選択のとき】　今のまま生きるのであれば、「これは自分が選んだ人生だ」という自覚を持って、よりポジティブに。新しい道を選ぶなら、それもまた自分で選んだという自覚と誇りと責任を持って、生き生きと。そうすれば、あとで後悔するということは絶対にありません。

【間違いを知らせるメッセージ】　スムーズにことが運ばない、ということ自体が答えの場合もあります。うまくいくことなら、トントン拍子に運びます。そうでないなら、それは、たましいにそぐわないことか、あるいは、今はその時期ではない、というメッセージなのです。

できる限りの努力をしてもうまくいかないとき、それ自体がガイド・スピリットからのメッセージかもしれません。冷静に自分自身を見つめていると、今起こっていることの意味が見えてきます。選ぶべき正しい道と、あきらめるべき道が、わかってくるのです。

【挑戦すること】　人生は永遠ではありません。立ち止まっているヒマはないのです。挑戦することから逃げていれば、何も手に入れられないまま終わってしまいます。あなたの人生です。あなたが舞台に上がらないと始まりません。

主役のいない舞台なんて、考えられないでしょう。これは、どんな性質のたましいを持つ人にもいえることです。本当にやりたいことは、誰に何をいわれてもやる。その勇気が、人生に充実と輝きを与えてくれるのです。

【本来の自分に戻る】　「思い」「言葉」「行動」この3つを大切に、喜びに向かって進んでください。難しいことではありません。不安や恐れを手放して、本来のあなたに戻ればいいだけなのです。

【ソウルメイト】　初めて会った人に懐かしさを感じたときは、その縁を大切にしてください。その相手からは、必ず何か大きなものが学べるはずです。

初対面なのに「懐かしい」と感じる人は、前世での「たましいの絆」があることが多いのです。そういう相手をソウルメイトといいます。共同作業をなしとげるために出会うことが多く、恋愛対象にはあまりなりません。たとえば、サリバン先生とヘレン・ケラーのように、何かの目的や役目があって、2人は出会うのです。その出会いがハッピーエンドになるとは限りませんが、大切な縁であることは確かです。

【言葉のエネルギー】 言葉は人を幸せにもするし、傷つけもします。ていねいに扱ってください。

人に誤解されることが多い人は、言葉による表現方法を間違えていることが多いもの。言葉のエネルギーをうまく使っていないのです。たとえ悪意はなくても、人を傷つけるようなことをいっていないか、乱暴な口のきき方をしていないか。いつも気をつけてください。それが言葉を大切にするということです。

【心を開く】 親友が欲しいと思うときは、まず自分から周囲の人に対して心を開きましょう。心を開くとは、自分から人に働きかけるということです。

「親友と呼べる人がいない」という悩みを抱えている人に限って、自分から人に心を開いていない場合が多いのです。仲良くなりたいと思う人に出会ったら、自分から映画やランチに誘ってみましょう。心の内側をわかってもらうために、自分から話しかけましょう。待つのではなく、自分から。それがポイントです。

【本音で語る】　親友とは、いいにくいことでもいってくれる人。あなたによくなってほしいと思うからこそ、たとえきついことでも、本音をいってくれる人です。

耳ざわりのいいこと、都合のいいことだけをいって無難につきあってくれる人を「親友」だと思っていませんか。あえて本音をぶつけて、何かに気づかせてくれる人こそ親友です。親友は、遠いところから新しくやってくる人とは限りません。あなたのまわりに必ずいます。あなたが気づいていないだけなのです。見回せばそこに、必ずあなたの求める笑顔があるはずです。

【悲しみの乗り越え方】　起きた事象を正しく受け入れられるかどうかで、人生の幸・不幸は決まります。目の前で起こることに、偶然はありません。その意味を正しくとらえてください。間違ってとらえると、悲しみを乗り越えられなくなります。

親しい人との死別、抱いていた夢の挫折など、人生には悲しいときが何度も訪れます。どんなに悲しいときでも、その悲しみがあなたに与えられた意味を考えましょう。その悲しみの中から、何を学ばなくてはいけないのか、それを見つめてください。いたずらに悲嘆にくれていると、その意味が理解できません。乗り越えることもできません。不必要な悲しみなどないのです。すべて必要だから、訪れてきたもの。克服し、成長しなさいという課題が与えられたのです。あなたの悲しみも成長も、いつもガーディアン・スピリットが見守ってくれています。それを忘れないでください。

【死にたいほど苦しいとき】 傷つくということはイコール弱いということ。強い人は傷つきません。苦しくても、本当の自分の姿を見つめる勇気を持てば、そこから人生が変わってきます。同じことで傷つかない強さを身につけることができるのです。

苦しいときほど、逃げない勇気を持ってください。自分が何に傷ついたのか、それは自分がどういう人間だからなのか、苦しくても真正面から見つめてください。その中にあなた自身の生き方の問題が潜んでいます。「死にたい」と思うほど苦しいときは、冷静に考えられないでしょう。けれど、乗り越えるためには冷静な思考が必要です。考えることによって、乗り越えることができるのです。むやみに悲しんだり苦しんだりすることは、ただの逃避です。恐れずに自分の姿を見つめてください。その勇気があれば、新たな洞察が得られ、生きるヒントが見えてきます。それこそが立ち直る原動力なのです。

【寂しさを味わう】　「寂しい」という感情を、マイナスとだけとらえるのはやめましょう。寂しさを味わうのも人生の課題のひとつ。寂しい思いを経験するからこそ、人の寂しさを理解できるようになるし、孤独を感じている人に寄り添うこともできるようになるのです。

【寂しさを乗り越える】　自分以外の人のために何かをするとき、少しの間ですが、

あなたの心の中から寂しさは消えています。

寂しい気持ちに悩むときは、思いきって自分から行動してみましょう。人のために何かをする、という経験に飛び込んでください。今はさまざまなボランティア活動があります。特別に大変なことでなくてもかまいません。外の世界を見て、人と出会い、ふれあって、さまざまな人生があることを実感してください。その中で、寂しさは自然に別の感情に変わっていくでしょう。愛を与えることで、心の中の愛の電池が充電されるからです。

【憎しみ】

自分を憎む人のことを憎み返してはいけません。憎んでくれる人がいるから、憎まれる人の気持ちがわかるのです。憎まれる悲しみが本当にわかったら、今度は自分が人を憎まない人になれます。

自分を憎む人のことは、憎み返したくなるでしょう。けれど、その人はあなたに「憎まれる悲しみ」を教えるために、「人を憎む」というマイナスの経験を背負ってくれているのです。そのマイナスのカルマは必ず本人のもとに返っていきます。にもかかわらず、憎んでくれる。あなたを成長させるために、罪を背負ってくれている。そう考えると、感謝の気持ちすら生まれてきます。もちろん、一足飛びに憎しみが感謝に変わることはないでしょう。けれど、少し視点を変えてみてください。そこに学びがあるはずです。

【天による裁き】　人を殺したいほど憎んだときは、天による裁きを信じること。人はみな平等です。相手だけが幸せで、あなただけが不幸ということはありえないのです。

スピリチュアリズムでは、人の行為はすべて記録されると考えます。人は死ぬとき、自分の生きた記録（アカシック・レコード）を見せられるのです。そのとき、神に恥じるべきはどちらなのか、考えてください。罪を犯したのが相手なら、神がそれを裁いてくれます。自分が神にかわって相手を罰しようと思うなら、その傲慢さに気づくべきです。人は神にはなれません。天になりかわって、人を罰してはいけないのです。

【心の傷を癒す】　自分の心が殺されるような経験をしたときは、心と体を休めて、ゆっくりと傷を癒しましょう。少し癒されたら、こう考えてみてください。すべて相手が悪いのではなく、心が殺されるような結果を生んだのは、自分の波長かもしれないと。

災いが起こったときは、100パーセント相手が悪いと思ってしまいます。けれど、大きな目で見れば、必ずフィフティ・フィフティの部分もあるのです。たとえ霊感商法でだまされて高い壺を買わされたとしても、だまされた自分にも落ち度はあります。少し落ち着いてからでかまいません。じっくりと振り返って、自分の罪を浄化するように努めましょう。そうすることでたましいがステップアップします。より深く広いまなざしで、人生を見つめることができるようになるのです。本当の意味で傷が癒えるのは、そのときです。

【無駄な経験はない】　殺したいほど人を憎んだ経験は、決して無駄ではありません。そういう苦しい思い、泣きたくなるような思いをするために、人は生まれてくるのです。泣くのも苦しむのも当たり前。そのための人生なのです。

強い憎しみに苦しんだ経験があるからこそ、強い愛を経験することもできます。空腹感があるから、「ああ、おいしい」と感じることができるのと同じように、人間関係がうまくいかないときがあるから、人とわかりあえたときの喜びが大きいのです。努力があるから、それが報われる幸せがあるのです。苦しい経験は、次に訪れる喜びの前兆です。苦しみから逃げずに、深く向きあえば、その分、たましいは磨かれて強い光を放つようになるでしょう。

【愛のまなざし】

私たちは、いいときも悪いときも、常に見守られているのです。

【神の愛と許し】

どんな人にもやさしいまなざしを注ぎ、欠点を許し、よりよい人間になれるよう見守ってくれる、それが神です。あなたもまた神に許され、愛されている存在です。と同時に、あなた自身の中にも、神はいるのです。

心が疲れたとき、誰も好きになれないとき、高層ビルに上ってみましょう。神様になったつもりで、街を見下ろしてみてください。そこにはさまざまな人が暮らしています。みんなそれぞれ短所と長所を持ち、泣いたり笑ったりして生きています。神はそのすべての人間を限りない愛のまなざしで見つめています。そんな神のまなざしは、あなたの上にも注がれているのです。そして、あなたの中にも、神はいます。あなたの心の中にこそ、愛と許しが存在しているのです。

【本当の苦労】本当の苦労とは、今の自分が越せないぐらい高いハードルを設定して、それを跳び越えていこうとすること。あえて自分に試練を課し、高い理想を求めていくことです。

「身から出た錆」のような苦労は、本物の苦労ではありません。本物の苦労とは、たとえば「自分の親を引き取って面倒を見よう」「夫の親を介護しよう」などと決意すること。何かのボランティアを始めることもそうです。個人の利益を超えて、他者の幸せを願う行為であり、自分は苦労しても、世の中を変えていきたいと願う気持ちです。そこに困難はあるでしょう。それを乗り越えようとすることで、たましいは確実に成長します。そういう苦労が本物の苦労です。たましいが大人になると、現世利益ではなく、そういう本物の苦労を求めるようになるのです。

【低い波長が呼び寄せるもの】どんなときも低い波長を出してはいけません。誰でも一時的に落ち込むことはあるでしょう。けれど、いつまでも立ち直らないでいると、さらに不運を呼び寄せます。

自分に起こるすべてのことは自分で呼び寄せています。霊障といわれる現象もそうです。たとえば、失恋などで「死にたい」というネガティブな気持ちになっているときに、たまたま同じ原因で自殺者の出たビルなどに近づくと、フッと憑《つ》かれてしまうことがあります。あるいは、恋人を奪いあったり、激しいケンカをしたりした場合、その相手が生き霊となって憑くケースもあります。そのせいで、心身が不調に見舞われている場合は、まず自分自身が深く反省すること。そして、本心から相手の幸福を祈ることです。そのうえで、入浴法などで体の中からマイナスのエネルギーを取り去りましょう。また、あなた自身のたましいの成長があれば、それが自然に浄霊につながります。

【してはいけないこと】　人に嫉妬したりしていませんか？　仕事で怠けていませんか？　悪口ばかりいっていませんか？　自分を過大評価していませんか？　反対に過小評価して、自分をけなしてばかりいませんか？　何かを学ぼうとする気持ちを忘れていませんか？　嫉妬心、怠け心、悪口、傲慢、自己卑下、無知は、あなたの人格を最も低めるものです。気をつけましょう。

ここに挙げたような行為は、自分の波長を低め、マイナスのカルマをつくります。当然、幸運を呼び寄せることもできなくなります。悪口の中には、自分をけなすことも含まれます。自分を過大評価してはいけませんが、過小評価もしてはいけません。もし「私なんかダメ」などといって自分を貶《おとし》めたときは、必ず「ダメじゃない」といい直してください。それが、いつもあなたを見守ってくれるスピリットに対する礼儀です。

【自由な心】　本当の幸せは、自由な心でいられること。西に黄色がないと不安になる心は、不幸です。

風水では、西に黄色のものを置くと金運がアップする、などといわれます。風水は、「物質的に豊かに暮らしたい」と願う人のもの。スピリチュアリズムは、「物質ではなく、心を豊かに暮らしましょう」という考え方。基本的にまったく違います。たとえば、「非行に走った子どもをなんとかしたいと思い、風水にしたがって部屋のレイアウトを変えたら、子どもが立ち直った」という場合、スピリチュアリズムでは、「そこまでして子どもを救いたいという親の愛が子どもに伝わったから、立ち直れた」と考えます。風水で豊かになろうとする気持ちを否定はしませんが、信じるあまり、自由にインテリアを工夫できなくなったり、苦しくなったりするようならやめましょう。

【現世の平等性】　この世には、特別に不幸な人も、特別に幸せな人も存在しません。みんな独特の宿命を抱えて、それを乗り越えることを課題として生まれてきています。

見た目にわかりやすい宿命を選んで生まれてくる人もいます。たとえば、先天性の障害を持っている人がそうです。けれど、その人たちが特別に不幸なわけでは決してありません。人間の幸不幸は、見た目ではなく、心の持ち方で決まります。たとえ何の障害もなくても、自分の容姿や才能に不平を抱いて、「私は不幸だ」と思い込んでいるとしたら、その人は不幸です。なぜなら心が不自由だからです。その思いグセを直し、自分の生まれてきた意味に気づいて、人生を充実させていく。自分らしい生きがいを見出し、たましいを成熟させていく。それがその人の課題です。すべての人は、そうやって乗り越えるべき課題を選んで生まれてきているのです。特別に恵まれた人、特別に恵まれていない人は存在しません。みんな同じ。たましいをより輝かせるために、この世に生まれてきた旅人なのです。

【大人の感性】 お金や家、車、カッコいい恋人など、物質的なものは、いわば子どものおもちゃです。大人の感性を持てば、そういうおもちゃは必要ではなくなります。

たましいのレベルが上がった分だけ、人生の視界も広がります。物質的なものが永遠ではないことを知り、そうではない価値を求めるようになるのです。たましいが大人になれば、本当に自分に必要なもの、本当の幸せとは何かがが見えてくるようになります。

【神とのつながり】　神と手を離しているか、つないでいるか。それによって、人生はずいぶん違ってきます。

【まあ、いいか】　いきづまって、心が疲れたなと感じるときは、「まあ、いいか」「なんとかなる」と、唱えましょう。簡単な言葉です。でもその言霊が神を呼び寄せます。見守られている安心感と、忘れていた喜びがよみがえるのです。

【祈りの言葉】「私が今、こうして生かされているたましいが、喜びも苦しみもすべて受け入れ、豊かに成長することができますように」

神社に行って、神殿に手を合わせるとき、私たちはつい「仕事がうまくいきますように」「金運がよくなりますように」などと現世利益的なことばかりを祈ってしまいます。けれど、そういう物質的な事柄に対して、ガーディアン・スピリットがメッセージを与えてくれることはありません。本当に祈るべきは、私たちのたましいの豊かさに関することです。より豊かなたましいへと成熟できますようにと心の底から祈るとき、その祈りは必ず天に通じます。

【世界の幸せと個人の幸せ】 他者の幸せ、世界中の平和、人類全体、さらにいえば霊的世界全体の向上がないと、個人の幸せはありません。みんな、お互いに深くかかわりあって生きているのです。

みんなが不幸なのに私だけが幸せ、ということはありえません。幸せになりたいと願うなら、家族の幸せ、友だちの幸せ、隣人の幸せ、社会全体、地球全体の幸せを願ってください。私たちはみんな、よりよいたましいになることを使命として、この世に生を受けた仲間です。個別に切り離されている存在ではありません。広い意味でいえば、みんながたましいの家族なのです。自分ひとりの利益や幸福を願う心からは、本当の幸福は生まれません。私たちのたましいすべての向上と幸せを願う心があって、初めて明日が輝きはじめるのです。

Part 6

幸運の扉を開ける鍵——スピリチュアル・ルール

〈江原啓之の8つの法則〉

スピリットの法則――私たちは感動するために生まれてきました

【たましいの学び】 私たちは感動を味わうために、生まれてきました。感動して、たましいを磨き、成長させることが、私たちの使命です。

この世に生を受けた人はすべて、神（グレート・スピリット）に近づくという大きな目標に向かって切磋琢磨するスピリットです。学ぶために必要なのは、さまざまな体験であり、その中で感じる感動です。感動とは、うれしいことだけではありません。喜怒哀楽、すべてが感動です。そんな感動を味わうために、私たちは生まれてきたのです。

【スピリットの法則】 私たちは肉体だけの存在ではありません。肉体と霊魂、すなわちスピリット（心・精神）が折り重なって生きている存在です。その重なりあったすべてを含む存在が人間であり、物質界（現世）を生きるあなた自身なのです。

【最後に残るもの】　私たちが現世での学びを終えて、故郷であるスピリチュアル・ワールドに帰るとき、持っていけるのは地位でもお金でもありません。経験と感動によって豊かに成長したスピリット、ただそれだけなのです。

【永遠に続くたましい】　「死」は、単なる肉体と霊魂の分離にすぎません。セミが抜け殻を離れて飛んでいくように、「死」を迎えることで、抜け殻としての肉体を離れるだけにすぎないのです。私たちのたましいは、肉体を失ってからも、永遠に生き続ける存在です。

現実の世界で子どもから大人へと成長していくように、あなたは「死」を迎えて肉体から離れても、そのスピリットを浄化させながら永遠の成長を続けていく存在なのです。

【スピリット＝心・精神】　本当の幸せに出合うために、スピリットの存在を理解してください。今まであなたが出合ってきた悩みや苦しみは、あなたがスピリットの存在であるということを忘れ、永遠に生きることのない「肉体」の存在だと思い込んでいるために生じる悩みなのです。

現実の生活の中で、自分自身を「不幸だ」と思わせる悩みの種は、ほとんどが肉体という殻に封じ込まれているがゆえに生まれた足かせにすぎません。私たちは肉体の死を迎えたとき、地位やお金などは何ひとつ持っていくことはできないのです。スピリットの存在を理解した人はそういった物質的な悩みから解放され、幸せをつかむ第一歩を勝ち得たことになるのです。

【肉体の年齢とたましいの年齢】

人は、肉体の年齢と、たましいの年齢を持っています。たましい自体が年齢を重ねている人、何度も再生を重ねて、たくさん訓練を積んでいる人と、そうではない未熟な人がいるのです。

相手が人間的に下品な場合、たましいの年齢が若いのだと考えましょう。子どもと同じです。子どもだから、イタズラもひどいし、残酷なことをいったりもします。そんな人に目くじらを立てて、悪口をいっている間は、相手と同じレベルです。嫌われるようなことしかできない、気の毒な人だと、慈愛を持って見てあげましょう。たましいの視点で相手を見ると、すべて乗り越えることができるのです。

ステージの法則——あなたは永遠に成長し続ける存在です

【ステージの法則】 私たちのスピリットは、偉大な愛と喜びのエネルギーであるグレート・スピリットに向かって、いくつかの段階（ステージ）を上昇していきます。この世での学びを終えたとき、どのレベルの階層に進めるかは、その人の学びの質によって決まります。

【ステージを決めるもの】 失敗にくじけず、進んでさまざまな体験をし、深く広く人を愛することを学んだたましいは、より高いステージへと進んでいきます。不満や愚痴をいうだけで、学びの少なかったたましいは、低いステージにとどまるのです。

マイナスの感情に支配されていると、たましいの成長は止まってしまいます。また、地位や名誉、財産など、物質的なものがステージを決めるわけでもありません。仕事や恋愛、結婚など、さまざまなフィールドで、どれだけ前向きに努力できたか、どれだけの経験と感動を積み重ねて、深く学び輝くことができたか。そして、自分のためだけでなく、人のため、社会全体のためにどれだけ尽くせたか。それが何より重要なのです。

【たましいの経験値】　すべての経験は「恩恵」です。何か問題が起こったとき、そこから学ぶ素直さを持ちましょう。そうすれば、あなたのたましいの経験値は上がってくるのです。それに対して感謝の気持ちを忘れないようにしてください。

深く傷ついて、これ以上の不幸はないと思っても、裏を返せば、それはその分、たましいが強く輝くチャンスです。自分自身が大きくなれるチャンスだということなのです。

【ステージを上がる】　私たちは日々の暮らしの中でさまざまな煩わしいことに振

り回されています。しかし、ステージの法則という、この永遠の大道から見れば、どれもじつに小さなことばかりです。私たちはみな落ちこぼれの天使。だからこそ、いろいろな経験を重ね、さまざまな心を学び、向上していけるのです。

つらい思いや悲しい思いをする――その経験が大切です。人に泣かされるから、人の気持ちが理解できるようになるのです。この世は、つらい経験をしながら、大切なことを学ぶ場所。私たちは決して安楽を求めて生まれてくるのではありません。楽しいこと、成功することだけが経験ではありません。すべてが経験です。その経験が、私たちのたましいを磨いてくれます。そのために、私たちは生まれてきたのです。

グループ・ソウルの法則――私たちは誰でも帰る場所があります

【グループ・ソウルの法則】　スピリチュアル・ワールドにはたくさんのスピリットのふるさとがあります。その中のひとつからあなたはやってきたのです。そのふるさとをグループ・ソウルといいます。

グループ・ソウルの中からひとつのスピリットが分離して、現世へと生まれ落ち、経験を積みます。やがて死を迎えると、ふるさとのグループ・ソウルへと戻っていくのです。

【たましいのふるさと】　あなたには必ず「たましいのふるさと」があります。そこに住む人々が、あなたのグループ・ソウル、つまりたましいの家族です。

この世には、血のつながった家族がいますが、それとは別に、たましいのふるさと（スピリチュアル・ワールド）には、「たましいの家族」がいます。それがグループ・ソウルです。コップに入った一杯の水をイメージしてください。その水は少し濁っています。その水全体がグループ・ソウルで、私たちはその中の一滴です。それぞれのコップから飛び出して、現世に生を受けたのです。この世でさまざまな経験を積み、浄化され、スピリットを向上させて、ふるさとであるグループ・ソウルの中に戻っていく。それが私たちの使命なのです。最初は濁っていても水の一滴一滴が、少しでも透明になって戻れば、コップの水全体が透明になるでしょう。そうやって、少しずつ完全な透明度を持つグレート・スピリット（神）に近づくことが私たちの課題です。

【スピリチュアルな時間】　あなたは現世を生きたあと、グループ・ソウルに戻ります。その一部としてよりよい楽器になり、よりよいハーモニーの中で、神に抱かれる存在なのです。

グループ・ソウルは、オーケストラの楽器にたとえることもできます。完璧なハーモニーを奏でているのが「神」だと考えてください。バイオリンやチェロ、フルートなどの集団が、それぞれ神のハーモニーを目指し、よりよい楽器になろうと努力しているわけです。バイオリン担当のグループ・ソウルに属する人は、現世でよりよい弦になることが課題の人もいるでしょう。糸巻き部分担当の人もいます。別のグループ・ソウルであるチェロやフルートの人も同様に、まだ足りない部分を補うため、現世に遣わされてきたのです。どの楽器担当か、楽器のどの部分担当かは人によって違います。けれど、より完全な楽器をつくり、より調和のとれたハーモニーを生み出すために、この世に来ていることに変わりはありません。この世での生を終え、たましいのふるさとで、もとの楽器の集団に戻ったとき、どんなハーモニーを奏でられるか。それは、この世でどれだけ自分の宿命を受け入れて、自分が選んできた課題を精一杯こなしたかにかかっているのです。

【偉大な叡智】　グループ・ソウルは、偉大なホスト・コンピュータのようなもの。

叡智に満ちた存在です。

私たちそれぞれのグループ・ソウルの中に、私たちを見守ってくれるガーディアン・スピリット（守護霊）の存在があります。その背後にも、さらに多くのガイド・スピリット（指導霊）がつらなっています。ガーディアン・スピリットはその中心となる担任の先生のような存在です。すべてのスピリットを総称してグループ・ソウルというのです。その中には、数学者もいれば、文学の得意な人、商才のある人もいます。まるでホスト・コンピュータのような、叡智の集積といえるでしょう。

【能力を引き出す】

グループ・ソウルと「プラグをつなぐ」ことによって、今まで気づかなかった能力がわき出てきます。「プラグをつなぐ」とは、イメージすること。グループ・ソウルの存在を信じ、「私とつながってください」と願うことです。

これは練習すれば誰でもできるようになります。イメージする力、思う力、感じる力は、人生のあらゆる側面で非常に大きな役割を果たします。そこにエネルギーが生まれるからです。この力があれば、偉大な叡智とのプラグは必ずつながります。すると、できることが増えていきます。誰かに応援されていることを、肌身で感じることができるようになり、人生が変わってくるのです。

ガーディアン・スピリットの法則――私たちは見守られ、応援されています

【ガーディアン・スピリットの法則】　人はどんなことがあっても、ひとりぼっちにはなりません。すべての人は、それぞれのガーディアン・スピリットに見守られているのです。

【たましいの親】　現世での私たちの成長を見守り、サポートしてくれる守護霊がガーディアン・スピリットです。あなたのグループ・ソウルの中に、このガーディアン・スピリットは存在します。「たましいの親」というべき存在なのです。

私たちは、この世で産んでくれた親と、たましいの親、2種類の親に見守られています。たましいの親がいない人は誰ひとりいません。たとえ血のつながった両親が早くに亡くなったり、あるいは子どもを愛せないような親だったりし

たとしても、たましいの親は必ずいます。この親は常にあなたを、あなただけを愛しているのです。

【愛の存在】　愛されていない人は、この世にひとりとしていません。つらいとき、苦しいとき、試練を受けているとき、常にたましいの親はあなたに愛を注いでいます。

【学びの場】　私たちの人生は学びの場です。スピリチュアル・ワールドにすべてを依存することはできません。けれど、いざというときに、私たちが見捨てられることは決してありません。必ず知恵を授けてもらえます。

家庭教師が、問題の答えをすぐに生徒に教えるなら、その家庭教師はいい教師とはいえません。生徒に力がつかないからです。それと同じように、ガーディアン・スピリットも、私たちにインスタントな答えは示してくれません。けれど、いざというとき、真剣に祈れば必ず答えは降りてきます。私たちは困ったときしかガーディアン・スピリットのことを考えませんが、ガーディアン・スピリットは、どんなときも私たちを見守っていてくれるのです。

【愛すればこそ】　ガーディアン・スピリットは何でもかなえてくれる魔法使いではありません。あなたを愛するからこそ、あえて苦労や悲しみを与える場合もあるのです。

ガーディアン・スピリットは、「お守り」ではありません。黙っていても夢をかなえてくれたり、困難を取り除いてくれたりする魔法使いではないのです。ガーディアン・スピリットが望むのはただひとつ。あなたのたましいが豊かに成長することです。そのために、あえて苦労や悲しみを与えることがあります。そこから何かを学ぶことが、今のあなたに必要だからです。けれど、絶体絶命というときは、必ずあなたを守り、導いてくれる存在です。

【太陽の存在】　私たちは、常にガーディアン・スピリットという太陽に見守られています。けれど、心が曇るとその存在を見失ってしまいます。

曇りの日には、太陽が見えなくなるのと同じです。曇りを生み出すのは、心にわき起こるネガティブな思いです。「いつも見守られている」という幸せを感じ取れるように、心を切り替えてください。すると、雲のすきまから太陽の光が見えてきます。どんなに苦しいときも、なぜ今その苦しみが与えられているのかがわかるようになります。そこから何を学ばなくてはいけないのか、ガーディアン・スピリットの意図が見えてくるのです。太陽を信じてください。どんなに厚い雲がかかっていても、その上には必ず太陽があります。なければ、この世に命はないのです。

【奇跡が生まれるとき】

万策尽きて、にっちもさっちもいかない。ずるい方法で逃げようとしても逃げられない。「もうどうにでもなれ」と、やけっぱちになる。そのとき、心が一瞬だけピュアになります。心から高い波動が出て、「奇跡」と呼ばれることが起こるのです。

絶体絶命だと思っていたのに、何かが助けてくれた。何かで心が癒された。そういう経験をすると、「この世にあるのは、人間の力だけではない」ということが実感できるようになります。ですから、危機を何度も乗り越えてきた人ほど、スピリットの存在を信じることができるようになるのです。年齢を重ねた人に神の存在を信じる人が多いのは、そのためです。

【サポートの質量を決めるもの】　何が起きても、そこから学ぼうとする気持ちを失わない限り、あなたが見捨てられることは決してありません。

あなたがポジティブに自分の課題を乗り越えようとするとき、必ずガーディアン・スピリットのサポートが得られます。ですから何も恐れる必要はないのです。けれどネガティブな気持ちのまま、自分で立ち直ろうとしないと、そのサポートは得にくくなります。ガーディアン・スピリットからのサポートの質と量を決めているのは、あなた自身であることを忘れないでください。

カルマの法則——幸せの種は必ず花を咲かせます

【カルマの法則】　自分のしたことは、いいことも悪いことも、自分に返ってきます。自分でまいた種は、自分で刈り取るようにできているのです。

人の悪口をいうと、自分もどこかで悪口をいわれます。逆に人に親切にすると、自分も別のところで親切にしてもらえます。自分の「思い」「言葉」「行動」は、いいことでも悪いことでも、同じだけのものが返ってくるという法則が、この世にはあるのです。それがカルマ（因果律）の法則です。

【プラスのカルマとマイナスのカルマ】　人を妬むという行為はマイナスのカルマになります。いつか自分も人に妬まれることになるでしょう。反対に、いつも人の役に立つことを考え、サポートをしていると、自分も必ず支えてもらえるのです。

カルマには、いいカルマと悪いカルマがあります。人に妬みや憎しみを感じたときは、マイナスのカルマを背負ったということ。すぐに心の中でそんな自分を反省し、「ごめんなさい」と謝罪する気持ちに切り替えてください。そうすれば、マイナスのカルマは解消されます。そして、いつもいいカルマを積むことを考えましょう。何気ない笑顔ひとつでも、それはプラスのカルマとなります。「思い」「言葉」「行動」を、いつもポジティブに、愛のあふれたものにしてください。同じ愛が必ず返ってきます。

【すべては心の映し出し】

自分の心が映し出されたもの。周囲に起こる出来事は、社会的な事件も含めてすべて自分の心の中をスクリーンで見ているのと同じです。

カルマの法則は、個人の周囲に限って起こることではなく、広く社会現象にも当てはまります。戦争やテロのニュースを見聞きするとき、自分も誰かに戦争をしかけなかったか、と自分自身を振り返ってみてください。その事件が目にふれる、ということは、私たち自身が心の中で同じことをしている、ということなのです。職場や家庭でのケンカやイジメは、すべて戦争です。戦争をなくしたいと思うなら、まず自分の心の中から戦争を放棄することです。ひとりひとりの戦争がなくならない限り、地上から戦争はなくなりません。

【状況を好転させるには】　自分を知り、自分を変えなければ、状況は変わりません。逆にいえば、自分を変えれば、どんな困難な状況も好転していくのです。

今の状況は、あなたが自分で呼び寄せたものです。大切なのは、自分のどういうところが返ってきたのか、それを注意深く内観することです。自分自身を知ること、自分に気づくことが必要です。今の状況は、その気づきを促すために起こっているかもしれないのです。「間違っているよ」「軌道修正が必要だよ」というメッセージをあなたは受け取っているのです。

【本物の気づき】　感動とは心が動くということ。本当に理解し、心が動けば、行動も変わります。

自分の心を内観して、自分という人間が理解できたと思っても、行動が伴わなければ、それは本当の理解、本当の気づきとはいえません。たとえば、「私は人によく迷惑をかける人間だ」と気づいたとしても、次の瞬間に、道にゴミをポイと捨てている、とすればどうでしょう。本当に理解できたなら、あとから道を通る人のため、掃除をする人のために、ポイ捨てという行為をしなくなるはずです。そうなって初めて、周囲の状況も人間関係も変わってきます。

【愛の法則】何度、過ちをくり返しても、私たちが見捨てられることはありません。何度でも気づくチャンスがあるのです。これが、「カルマ＝愛の法則」のゆえんです。

カルマの法則というと、怖いものと思われるかもしれませんが、じつはこれは愛の法則なのです。私たちは本来、完璧を望んでいる存在です。意識していないかもしれませんが、できるだけ神に近づきたいと願っているのです。それができなくて、日々悩んだり苦しんだりの連続です。けれど、何度過ちを犯しても、この法則があるから、私たちは気づくことができます。自分のしたことが原因となって、不幸と思われる状況になったら、それは「またやっちゃったね。でも、もう一度頑張って」というメッセージなのです。

波長の法則――やさしい気持ちはエネルギーを持っています

【波長の法則】　何かを心に強く思うとき、その思いはエネルギーを生み出します。それは波長となって、同じ波長のものを引き寄せます。「類は友を呼ぶ」のです。

自分がポジティブであれば、周囲にポジティブな人やものが集まってきます。反対に自分がネガティブな波長を出していれば、反対にネガティブな人やものが集まってくるのです。人の心の持ち方は、目には見えません。けれど、決してあなどらないでください。気持ちが生み出す波長の高低は、必ず表情やしぐさ、言葉や態度に表われます。それが、周囲のすべてに影響を与え、同じ波長のものを呼び寄せるのです。

【波長が出会いをつくる】　あなたが出会う人は、今のあなたと同じ波長の人です。

人は、自分と同じ波長の人としか出会えません。

私たちは、自分と波長の違う人とは出会えません。「私のまわりは、嫌な人ばかり」と愚痴をいうのは、「私はレベルが低い」といっているのと同じこと。すばらしい人と出会いたいと思うなら、まず自分自身が明るくポジティブな波長を出すことです。すると、自然に出会う人が変わってきます。「私の周囲には、いい人ばかりが集まる」といえるようになってくるのです。

【波長の変化】　つきあう人が変わったということは、自分の波長が変化したということ。自分が成長するために、もう一段高い波長の人と出会えたのです。

今まで仲のよかった人とつきあわなくなって、人間関係が大きく変わるとき、それは運命の転換期です。自分が試される時期でもあります。「今まで学んだことを、新しい環境の中で試してごらん」といわれているのです。ただし、自分の波長が低くなった場合も、つきあう相手が変わることがあるので、そこはよく注意してください。周囲に集まるのは、すべて自分の波長が呼び寄せる人たちなのです。

【自分を映し出す鏡】　自分の周囲にいる人々を見れば、自分がどんな波長を出しているのかがわかります。周囲の人間関係は、自分自身を映し出す鏡なのです。

ネガティブな考えでいっぱいになっていたり、人のいいところを見つけられなかったりすると、周囲に集まってくる人も、暗かったり、意地悪だったりします。反対に、ポジティブな高い波長を出していると、親切でやさしい人、明るく励ましてくれる人が現われるのです。人の出す波長には幅があります。時間や場所、つきあう相手によっても変わります。自分が今、どんな波長を出しているのかは、周囲にどんな人がいるかでわかるのです。鏡を見るように、周囲の人々を見つめてください。そこに自分の姿が映し出されています。

【真映し出しと裏映し出し】　周囲が自分の心をそのまま映し出す場合と、逆のことを映し出す場合があります。目の前の現象がどちらなのか、見極めることが大切です。

「私の周囲には、いつも意地悪な人がやってくる」と思う場合、自分自身も、同じことを人にしていたり、人から見れば自分も「意地悪な人」だったりします。

これは、「真映し出し」を見せられているということです。一方、「私は人に意地悪をしているつもりはないのに、周囲に意地悪な人が多い」という場合、これは、自分の中にその意地悪に対して立ち向かうだけの力がない、ということの映し出しなのです。これが、「裏映し出し」です。意地悪なことをいわれても、黙って聞き流してしまい、あとで悶々と悔しい思いをする。そういう場合、その事なかれ主義の克服がたましいの課題です。それを知らせるために、意地悪な人が、わざと周囲に配置されることがあるのです。

【たましいの地獄】 地獄とは、レベルの非常に低いたましいが波長の法則で寄り集まっているところです。人を憎んだり、だましたり、妬んだりするたましいが寄り集まっているところ、そこが地獄なのです。

【いい波長を出すために】 ポジティブな波長を出すためのポイントは3つ。「思い」「言葉」「行動」です。このすべてを明るく、前向きにしていれば、波長は高まります。高い波長は必ずいい結果を運んでくるのです。

運命の法則——私たちには明日を選ぶ力があります

【運命の法則】　運命と宿命は違います。宿命とは、性別や家族など、自分では変えられないもの。運命とは、宿命を受け入れて前向きに努力すれば、変えていけるものです。

【宿命と運命】　宿命は、ケーキのスポンジ台。その上に、運命というデコレーションを施していくのが、私たちの人生です。

宿命とは持って生まれたもの。国籍や性別、家庭環境など、自分の力では変えられないものです。一方、運命は、自分の努力でいかようにも変えられるものです。ただし、努力を怠ると、運命は変わりません。あらかじめ定まっている宿命に振り回されるだけに終わってしまうでしょう。デコレーションのないスポンジ台だけの人生にするか、自分らしいデコレーションを施した、素敵なケーキのような人生にするか、すべては自分にかかっているのです。

【宿命という教材】 宿命とは、あなたが生きていく過程で愛を学び、本当の幸せに出合うために最も必要として選んできた「教材」です。

どの時代の、どの国に生まれるか。男性か女性か。どんな家族か。どんな容姿か。これらはすべて、自分自身が必要な学びのカリキュラムにそって選んできたのです。だから、変えることはできません。しかし、嘆く必要もないのです。私たちは、その宿命を通して、深く学ぶことができるからです。大切なのは、自分に与えられたカリキュラムの意味を知ること。自分はなぜこの宿命のもとに生まれたのかを考えることです。

【宿命を受け入れる】 宿命を受け入れ、許していけば、どんな人も、必ず幸せになれます。どんな宿命のもとに生まれた人も、その宿命だからこそ味わえる幸せがあり、学びがあるのです。

私たちが生まれてきたのは、たましいを磨き、学ぶためです。そのためにはまず、持って生まれた宿命を受け入れましょう。自分の国籍、家族、容姿、性別……。なかなか受け入れられないものもあるかもしれません。けれど、それらは自分に必要な学びのために、あなた自身が選んできたもの。何を学ぶべきなのかをよく考えて、それらを受け入れ、愛しましょう。すると、運命を自分でつくることができるようになります。同時に、自分に対する自信も生まれてくるのです。

【運命を変える】　宿命を受け入れたとき、運命は変わります。

【出会いという宿命】　出会いもまたひとつの宿命です。私たちは縁のない人とは出会えません。出会う人はすべて宿命的に出会った人たちなのです。

出会いを大切にするとは、出会った人たちをまず受け入れるということです。どうやっていい関係を築いていくかを考えてください。出会った人を嫌うだけでは何も変わりません。出会いという宿命を受け入れ、そのすべての縁を大切に育てていける人が、本当の幸せを手に入れられるのです。

【生きる主体】　私たちはスピリチュアル・ワールドのあやつり人形ではありません。主体はあくまで私たち自身。自由に生きて、運命を切り開いていけばいいのです。

人の一生が宿命で決まったり、ガーディアン・スピリットやスピリチュアル・ワールドからのメッセージで仕切られたりしているなら、生まれてくる意味がありません。この世で悩んだり苦しんだりしながら、試行錯誤して、自分の本当の姿を見つめること、本当の愛とは何かを学ぶこと、そういう気づきを積み重ねながら、自分で運命を切り開いていくことが大切なのです。

【感動すること】　宿命という課題を克服し、たましいを磨くには、「感動」することが必要です。喜怒哀楽のすべて、悲しみも苦しみも怒りも感動です。それを経験することで、私たちのたましいは豊かになっていくのです。

幸福の法則――私たちは「幸せ」を保証されています

【幸福の法則】　自分の幸せは自分でつくるものです。そのためには、自分を深く知ること。つらい経験も楽しい経験も、ともにたましいを磨く貴重な体験だと受け入れることです。そのとき初めてたましいは成長します。それこそが本当の幸福です。

物質的に恵まれたり、長生きをしたりすることが幸福なのではありません。本当の幸福とは、この世に生まれてきた使命を果たすこと。たましいを豊かに成熟させることなのです。そのためには、苦しい経験、嫌な経験から逃げないでください。その中で自分を見つめ、自分を知り、深く学ぼうと努力してください。そういう経験ができることこそ、本当の幸せなのです。

【生まれてきた意味】　あなたは「愛」を学ぶために生まれてきました。本当の幸せと出合うために、地上に降りてきた存在なのです。

【本当の幸せとは】　より深く人を愛し、社会に奉仕できるようになったたましいは、より深く人に愛され、支えられるようになります。与えることができて、初めて与えられるのです。

本当の幸せに出合うためには、あなた自身がまず、周囲に愛と奉仕の気持ちを与えることです。そのとき初めて、あなた自身が喜びを受け取ることのできる人生になります。

【この世に不幸は存在しない】　楽しいことも、つらいことも、すべてが「学び」です。失敗したり、人間関係で悩んだりする、そのすべてに意味があるのです。

この世で「不幸」と思われることは、すべて物質的な価値観によるものです。「恋人がいない」「お金がない」「病気になった」などの悩みは、たましいから見れば、すべて「教材」。そういう経験こそが、私たちのたましいを磨き、成長させてくれるのです。それを不幸だと思って立ち止まらずに、苦しいときほど、そこから何を学ばなければいけないのかを考えてください。そうすることで、たましいが磨かれ、輝きはじめます。私たちがこの世に生を受けた本当の目的は、そこにあるのです。

（了）

本書は、本文庫のために書き下ろされたものです。

本当《ほんとう》の幸《しあわ》せに出《で》会《あ》う スピリチュアル処方箋《しょほうせん》

著者　江原啓之（えはら・ひろゆき）

発行者　押鐘冨士雄

発行所　株式会社三笠書房

〒112-0004 東京都文京区後楽1-4-14

電話　03-3814-1161（営業部）03-3814-1181（編集部）

振替　00130-8-22096　http://www.mikasashobo.co.jp

印刷　誠宏印刷

製本　宮田製本

ISBN4-8379-6274-2　C0130